れいわ民間防衛

見えない侵略から日本を守る

上念司

飛鳥新社

れいわ民間防衛

見えない侵略から日本を守る

まえがき

日本には、ことあるごとに軍靴の音が聞こえる不思議な新聞社がある。日本は軍国主義を復活して、再びアジアを侵略する準備をしているらしい。日本会議がその陰謀の中心にいて、さまざまな工作活動をしているそうだ。戦前を1ミリでも肯定することは戦争への道だし、日本は謝り続けているぐらいでちょうどいい。そうでないと、すぐに軍国主義が復活してアジアで人を殺しまくるとその新聞社は心配している。

これはジョークではない。こんな荒唐無稽な陰謀話を未だに信じている人がいる。むしろ、この陰謀論こそが何かの陰謀だと私は思う。現実から人々の目を逸らすための仮想現実を語り続けるのが新聞社の仕事なのだろうか？

この手の浅薄な陰謀論を垂れ流す日本の左派メディアには大いに問題がある。その問題点をあげつらえばキリがないが、一つだけ大事なことを指摘しておこう。現実はありとあらゆる意味で彼らの認識とは異なっている。特に、戦争について、彼らの知識は古すぎる。第二次大戦以降、戦争はそのプレイヤーも、戦い方も、戦う場所も大きく変化した。端的にいえば、現代の戦争は見えにくい。だから、新聞社がボヤボヤしている間に、新しい形の戦争は始まってしまった。私には軍靴の音どころか、大砲の爆音が聞えている。皆さんにも聞こえないだろうか？　もちろん、その大砲は陸海空など実体領域における火薬の炸裂する音ではない。

今の戦争は目に見えない戦場で行われている。その戦場とは、デジタル領域、電磁波領域、私たちの脳内に広がる認知領域などありとあらゆる場所だ。例えば、毎日新聞に折り込まれた中国共産党の言い分を代弁する「チャイナウォッチ」という記事広告がある。この広告を発注したチャイナデイリー社は中国共産党とのつながりの深い工作機関だ。彼らが一体何を意図してこのような広告記事を出稿するのか？　これは広告の姿をしているが、実は認知領域で優勢を得るための攻撃なのだ。

私は、戦争はできるだけしないほうがいいと思っている。しかし、私たちが戦争しないことを望んでも、相手はそう思ってくれない。実際に目に見えない戦争を仕掛けてくる、ロシア、中国、北朝鮮などの全体主義国家は私たちの平和への願いなどお構いなしだ。攻撃対象は日本だけではない。アメリカ、オーストラリア、ヨーロッパなど自由で開かれた社会そのものを彼らは敵視し、徹底的に攻撃を仕掛けてきている（なぜ彼らが自由で開かれた社会をこれほど敵視するのかはぜひ本文でご確認いただきたい）。

左派メディアの認識とは正反対に、目に見えない戦場において日本などのいわゆる西側諸国は攻撃を受ける側である。例えば、中国、ロシア、北朝鮮のサイバー部隊は企業やハッカー集団を巧妙に偽装し、政府や企業、個人に対してサイバー攻撃を仕掛けている。たびたびニュースになるのは、システムへの侵入、情報窃取、システム障害などだ。最近では仮想通貨の取引所を攻撃する「銀行強盗」のような行為も多発している。さらに、SNSの偽アカウント使って偽情報を拡散するといった「影響力工作」も頻繁に行われている。本文を読んでいただければ、その規模の大きさ、頻度、強度が恐るべきレベルに達していることがご理解いただけるだろう。

日本には言霊信仰があり、口に出してしまったことが現実のものになるという素朴な理論を信じている人が多い。だから、こういうシビアな話をすると、「上念さんは戦争が起こったほうがいいと思ってるんですか?」とトンチンカンな批判を受けることがある。これは悪しき言霊信仰だ。リスクから目を逸らしても、リスクは消えない。リスクの顕在化を恐れるなら、リスクに向き合い、その本質を見極めることが大切だ。本当に平和を愛しているなら悪しき言霊信仰から脱却すべきだし、そんな迷信は我々の安全確保において何の役にも立たない。

逆に、防戦一方の日本の現状を前にして、上から目線で日本の防衛態勢の不備を批判する人がいる。誰よりも悲観的な意見を言って、相手にマウントすることでその人のストレスは解消できるかもしれない。しかし、ストレスは解消できても日本は守れない。まして、極端な攘夷論に走り、これらの国々と断交したところで結果は同じだ。実際に中国と台湾は断交しているが、中国による台湾への激しいサイバー攻撃は終わる気配がない。

日本を、そして自由で開かれた社会を本当に守りたいのであれば、戦争はすでに始まっているという現実とまず向き合うことだ。そして、敵のことを知ることだ。彼らがどのような思想を持ち、何のためにこの攻撃を行っているのか。歴史的な経緯なども踏まえ十分に理解しなければならない。その上で、過去に行われた「作戦」について徹底的なケーススタディを行う。二度と同じ手を食わないために。

かつて日本は戦争に負けた。その戦争とは砲弾を撃ち合う実体領域の戦いだけではない。１９４１年12月、日本は認知領域における見えない戦争に負けた。そして、対米開戦を決断し、負けることが確実な戦争に自らを追い込んでいった。ところが、国民はその厳しい現実に薄々感づいていながらも、結局そこから目を逸らし対米開戦に狂喜乱舞した。

日本の平和教育はこういった事実から日本人の目を逸らしている。日本人に戦争の反省が足らないとしたら、それは平和教育のせいだ。１９４１年からの戦争よりも、１９４１年までの対米開戦に至る道を正しく知らねば、再び日本人は同じ手口で騙されるだろう。

いま、日本に対して行われている攻撃はまさに１９４１年までに日本に対して行われた攻撃に近い。それは目に見えない認知領域の攻撃であり、日本人を知らぬ間に自滅の方向に誘導する悪魔のプロパガンダである。その手口は極めて巧妙であり、実態はとても見えにくい。我々が対峙する全体主義者はかくも恐ろしい悪魔なのだ。

日本人が望むと望まないとに関わらず、彼らは自由で開かれた社会を敵視し、それを殲滅しようと試みている。私は平和を愛する人間であるが、相手が攻撃を止めない限り、防御のために戦わざるを得ない。とはいえ、どのように戦えばいいのか？　そもそも、一般国民がこの戦いに加勢できるのか？

答えは本書のなかにある。まずはこの見えない戦争の本質を知り、その特徴をとらえることから始めよう。そして、自由で開かれた社会をみんなの力で守っていこう。

れいわ民間防衛　目次

第2章 戦争でない戦争、戦場でない戦場

第3章　戦争のドメイン（領域）

第4章　武力使わない「乗っ取り戦争」

序章

やつらは繋がっていた。そして我々は何も知らない。

不条理劇が現実になる日

これは遠くない未来の話。日本という国が取り得るたくさんの選択肢のうち、あえてこの1つを選んだ結果起こり得る事態である――。

武漢肺炎のパンデミック以降、多くの会社がリモート勤務を採用し、私の会社もそれを採用した。上の方のオジ様方は不満だったようだが、世間の風当たりの強さに渋々それに従ったようだ。かくして我々労働者はリモート勤務という自由を手に入れた！

しかし、春は長く続かなかった。感染者数の増加も目に見えて収まり、何よりもこの病気で死ぬ人があまりにも少ないという現実を前にして、人々の心に緩みが生じた。そして、その隙を逃さないオジ様方の巻き返しが始まった。

気がつくと、完全リモート勤務はいつの間にか解除され、週1回の出社が義務づけられるようになった。次に、あくまでも強制ではないとしたうえで、出社日が2日追加された。しかし、これはあくまでも部門長の判断であるとのことだ。

しかし、私はツイていた。直属の上司は仕事のできる人で、労働時間よりもアウトプットを評価する人だ。さらに、上のオジ様たちの非効率性には前々から呆れていた。彼のお陰で、追加出社日は設定されることなく、最低ラインの週1出社を続けることができたのだ。

私は今でも週4日は家で仕事をしている。だから、とても効率が良い。そして営業成績は恐ろしく良くなった。通勤時間を顧客との面談や問題解決に充てることができるため、非常に喜ばれている。このまま順風満帆に事が進むと思っていた。

ところがそんな私の周りに奇妙なことが起こり始めた。1か月ほど前の話だ。最初は、ネットのトラブルだった。ある時突然、社内ネットワークに接続できなくなり、しばらくしたら自然に治った。もちろん、何が原因なのかわからなかった。その後、送ったはずのメッセージが届かない、添付したはずのファイルが消えるといったトラブルが頻発するようになる。

特に出社した日は酷かった。ある時、しばらく席を離れて戻って来ると勤務中は開かないはずの動画配信サイトが開かれたままの状態になっていた。時事問題をアニメの喩《たと》えなどを交えて面白く解説するそのチャンネルは私のお気に入りの一つだった。

「一体だれがこんなことを……」

私は会社のセキュリティ担当に相談しようとした。しかし、勤務中に動画を見てサボっていたと疑われるのは嫌だ。なぜなら、私はまだ中途採用されて2年目の平社員であり、立場が弱い。

「ひょっとしたらブラウザの〝お気に入り〟のリンクを誤ってクリックしてしまったかもしれない。」

私は自分にそう言い聞かせて、このことをなかったことにした。もし、同じことが頻繁に起こるようなら、その時改めて相談しよう。だいたい、この1回だけでは再現性がない。おそらく相談しても無駄だ。

しかし、今思えばあの時が運命の分かれ目だった。会社のセキュリティ担当どころか、警察に相談しておけば良かったと思う。私は完全に甘く見ていた。「敵」はこの国に深く根を張り、すべてを監視していたのだ。

事件はほどなくして起こった。週に1度の出社日の夜、私は上司に誘われ同僚たちと新橋の居酒屋に出かけた。武漢肺炎のパンデミック以来、街は閑散としていて多くの居酒屋が潰れている。そんな櫛の歯の欠けたような新橋にある安くておいしい魚を食わせる店に入った。巷ではソーシャルディスタンスなどと言われているが、割と密な店内で、私たちは酒を酌み交わし仕事の愚痴をこぼした。その時、何の気なしにお気に入り動画チャンネルの話題になった。

私は例の時事問題解説のチャンネルを紹介し、動画で話題になったニュースをいくつか受け売りして語りだした。たまたま、その時取り上げたニュースは尖閣諸島を巡る問題だ。

「尖閣諸島は日本固有の領土であり、中国がこの島を実効支配したことは歴史上一度もない。いまあの島の周りで中国がやっていることは警察ごっこであり、非常に危険だ。すぐやめるべきだ。」

私はそういった趣旨のことを話したと思う。

ひとしきり酒を酌み交わし、飲み会はお開きになった。ワリカンの会計を終えて店を出ると、突然背広姿の見慣れない男が二人、私に詰め寄ってきた。格闘技でいえばウエルター級とヘビー級、一般人から見れば二人ともかなりの巨漢だ。彼らは新橋を管轄する愛宕警察署の刑事だという。警察手帳を見せつつ、私の逃げ道を塞いで話しかけてきた。


「大石真一さんですね。」

「はい、そうです。」

「お忙しいところ恐縮ですが、署までご同行願います。」

「え、なぜですか？

私が何か悪いことでも？」

「香港国家安全維持法違反であなたに逮捕状が出ています。日本と中国の間の犯人引き渡し条約に基づきあなたを拘束し、身柄を引き渡します。こちらが逮捕状です。」


正直、この人たちが話していることがよくわからなかった。彼らが言うには、私の行動、言動に香港国家安全維持法に抵触するものがあったとのことだ。具体的にどの部分が該当しているのかは全く教えてくれない。とにかく、中国の警察がそう言っているから、向こうに行って取り調べを受けてきてほしいという。そんないい加減な理由で逮捕状が出るのか？

私はにわかに信じられなかった。そして、努めて冷静を装い巨漢に訊いた。

「異国の法律に抵触するから異国の警察の取り調べを受けろというのはあまりに理不尽ではないですか？

なぜそんなことが許されるのか説明してくれませんか？」

ところが、巨漢の一人が、待ってましたとばかりに次のように言った。

「申し訳ありません。そういう決まりなもので。」

そんな決まり、私は承認したつもりもないし、そもそも聞いたこともない。一体どこでそんなことが決まったのか？

私は抵抗を諦め、二人の巨漢に従った。生まれて初めて体験する代用監獄だった。

後悔先に立たず。私が政治や安全保障に興味を持ったのは転職活動を始めてからだ。それまでは楽しいことばかりやっていて、政治や国際関係のことなんて全く関心がなかった。選挙にも行かなければニュースも見ない。ところが、私が見てないうちに、この国の上のほうのオジ様たちは勝手なルールを決めてしまったらしい。そのせいで、私は理不尽にも外国の警察に捕まる。聞いたこともない罪状で、さしたる証拠もなく！

学校で社会科の時間に日本国憲法について勉強したことをふと思い出した。人権とは最も尊重されなければならないもので、何人もこれを侵してはならない。人権にはいろいろなものがあるが、中でも一番大事なのは自由権だ。

ここは日本という国のはずだが、いつの間に憲法の内容が変わったのだろうか？憲法が改正されたという話は聞いたことがない。しかし、私の人権はどこかへ行ってしまった。もう後の祭りだ――。

今考えてみれば、すべてはあの時始まっていた。武漢肺炎のパンデミックの後、アメリカ大統領選挙で現職が負けた。現職は対中強硬派だったが、後任は「国際協調」とかお花畑みたいなことを言っていた。そんな寝言が全体主義国家に通用するわけはない。日本は同盟国としてそのことを言い聞かせるべきだった。日本と同じように中国に困っている国は沢山ある。例えば、国境紛争を続けるインド、歴史上ずっと緊張関係にあるベトナム、陰の乗っ取り計画発覚で一気に関係が悪化したオーストラリア、そして香港の旧宗主国イギリス。思えばみんな日本の味方だった。

ところが日本の総理大臣は彼らを味方に付けられなかった。正確に言えば、外交にそれだけのリソースが割けなかったのだ。その理由は経済失政である。財務省の意見を聞き入れて、補正予算の金額をケチりにケチった。さらに新しいアメリカ大統領にゴマをするために炭素税を導入した。これが決定的だった。

経済的に困窮した人々は救済を求めて過激思想に走る。そのことを見越した中国は徹底的に日本を挑発した。日本人の反中感情を敢えて煽り、政府を腰抜けと批判させるように仕向けるために。全体主義国家は手段を選ばない。ターゲットに内部分裂を起こさせるためなら敢えて自国が悪者になることも厭わない。さらに、ムチだけでなくアメをばら撒くことも忘れなかった。増税と緊縮財政で弱り切った日本企業に、うちで商売すれば儲かるぞと誘惑を続けた。国家観のない大企業経営者はイチコロだった。

日本政府は経済団体の働きかけで、この誘いにまんまと乗ってしまった。そして、中国は経済的な利権と引き換えに、犯罪人引き渡し条約の締結を持ち掛けてきたのだ。これが拘置所の中で考えた、私が逮捕された経緯である。

SFではない、ウイグル、チベット、南モンゴル、香港のリアル

いきなり小説風の寸劇で面食らった人もいるかもしれない。私は小説家ではないので拙《つたな》い内容だったことを申し訳なく思う。しかし、この主人公の身に何が起こったかはご理解いただけたのではないか。外国の法律、しかも、極めて理不尽な法律に違反した主人公は、なぜか日本の警察に捕まって移送されていく。まるでカフカの不条理小説を読むような展開だ。

しかし、この理不尽すぎる話も、まるっきり荒唐無稽なものだというわけではない。なぜなら、これはいま実際に中国国内で起こっていることだからだ。日本のメディアが敢えて目を背けるウイグル、チベット、南モンゴル、香港で何が起きているかご存じだろうか？

一つの例を示そう。２０２０年8月10日、香港民主化運動の活動家で日本でも人気のある周庭さんが逮捕された。その後、釈放された周庭さんは9月１日に記者会見を開き次のことを明らかにした。

香港の民主派団体「香港衆志（デモシスト）」元メンバーの活動家、周庭氏が１日記者会見し、香港国家安全維持法（国安法）違反の容疑で8月10日に逮捕された際、デモシストが昨年、国際社会の支持を求めて日本経済新聞に掲載した意見広告を容疑の証拠の一つとして警察に見せられたと明らかにした。

国安法施行前に掲載した広告がなぜ証拠になるのか警察から説明はないとして「もし日経への広告が証拠となるのなら、ばかげている」と批判した。

(https://news.yahoo.co.jp/articles/84a517a4c344736efe0c7d9a46f9c832d25b3d54)

香港民主運動が日本経済新聞に掲載した意見広告

https://news.yahoo.co.jp/articles/84a517a4c344736efe0c7d9a46f9c832d25b3d54

そもそも、周庭さんに示された日経新聞の意見広告とは、香港国家安全維持法が施行される前年、２０１9年8月19日の日経新聞朝刊に掲載されたものだ。

とてもこの広告だけで中国共産党の強大な権力を転覆できるとは思わないが、当局はその危険性ありとして周庭さんを逮捕したのだ。しかも、法律不遡及の原則を無視して。

ここまで来ると、この逮捕は法執行というよりは心理学の問題になる。いま権力者が何を考え、何を望んでいるか、それをもっとも的確に忖度できるものが生き残る。逆に、それを無視して自由に生きれば、いつか彼らの〝虎の尾〟を踏み、逮捕され自由を奪われる。

周庭さんは「逮捕された理由がわからない」ともコメントしている。中国共産党としては、「我々の主張をよく学習して、虎の尾が何なのか忖度できるようになりなさい」といったところだろう。しかし、当の共産党の方針がトップの交代どころか、トップの気まぐれでコロコロ変わるわけだから下の者は大変だ。２０２０年11月23日、周庭さんは再び拘束され、翌月の裁判で禁錮10か月の判決を言い渡されると、即日収監されてしまった。恐れていたことが現実となった。

中国の警察は曖昧な法律の条文に基づき、共産党に歯向かう者、いや、歯向かいそうだという疑いのあるものはいくらでも逮捕できる。まるで中世の魔女狩りのようだ。

近代的な刑法はこういった理不尽な法執行を避けるために整備されてきた。その集大成が罪刑法定主義だ。罪刑法定主義においては、犯罪とされる行為の構成要件およびそれに科される刑罰は立法府の定める法律によって予め明確に規定されなければならない。よって新選組局中法度のように「士道に背きまじきこと」といった曖昧な規定はダメだ。ところが、香港国家安全維持法はむしろ局中法度に近い。

寸劇の主人公が見ていた動画は、おそらく中国共産党の「虎の尾を踏む」内容だったのだろう。そして、主人公のプライバシーは中国共産党に筒抜けだった。危険思想の動画を頻繁に視聴していたことで、彼は監視対象となっていたのだ。

たびたび発生したネットの障害はハッキングによる証拠収集によるものだったのかもしれない。そして、開いていないはずの動画サイトが開きっぱなしになっていたのはある種の警告だったのだろう。これは中国を取材しているジャーナリストの間では有名な話だ。これ以上取材をしてほしくないという当局の意思表示として、機材が壊されたり、データが消去されたりといったことがあるそうだ。そして、その警告を無視した主人公は逮捕され中国に移送される。

もちろん、2020年の時点でこれはあり得ない。なぜなら日本の刑事司法制度は有効に機能しており、中国との間の犯罪人引き渡し条約締結されていないからだ。

しかし、未来永劫それが起こらないかどうかは別の話だ。先ほどの小説仕立てのストーリーのように、今後、経済的な利権とバーターで日本国民の人権を危険にさらすような条約が締結されるかもしれない。また、日本国憲法の人権規定を骨抜きにするような巧妙な罠が仕掛けられないとも限らない。それは国際機関からの要請を装ってやってくるかもしれないし、環境問題とか、組織犯罪防止という大義名分で行われるかもしれない。

オーストラリアで実際に進行していた〝侵略〟

自由で開かれた社会の弱点を突く形で、オーストラリアは実際に中国から「乗っ取り工作」を仕掛けられている。オーストラリアのチャールズ・スタート大学のクライブ・ハミルトン教授がその実態を徹底的に調べ『Silent Invasion（邦題『目に見えぬ侵略』）』という本にまとめた。その内容は衝撃的だ。日本語の翻訳本は二段組みで400ページに及ぶ大作である。その中に、見えない侵略行為の実例が証拠付きで暴露されている。

例えば思想監視の一例としてこんな話がある。2017年にモナシュ大学の授業で「中国の政府高官が真実を語ってくれるのはどのような時か?」という問題が出題された。答えは「酔っぱらっているか、口を滑らせたとき」なのだが、その内容に腹を立てた中国人留学生がSNSに書き込んだために騒ぎが大きくなった。メルボルンの中国領事館はこの件について大学側に激烈に抗議し、担当教員は停職処分となった。

また、経済利権を使った恫喝の一例としてこんな話もある。2020年、武漢肺炎のパンデミックの原因を突き止めるため、オーストラリアが国際的な調査を呼び掛けた。ところが、中国教育部はこれに相前後して9日、オーストラリアへの留学希望者に対して、「慎重に判断」するよう促した。アジア人を差別する動きが見られるというのがその理由だが、果たして本当にそうだろうか。豪中関係の悪化と軌を一にして留学生の数が激減しているのは偶然の一致だと言えるのだろうか?

さらに、2020年11月30日、中国外交部の趙立堅《ちょうりっけん》報道官が、オーストラリアの兵士がアフガニスタンの子どもを殺しているように見えるフェイクの写真をツイッターに投稿した。オーストラリアのモリソン首相はこれに激怒し、「この画像は偽造されたもので、われわれの偉大な軍に対するひどい中傷だ！」と述べた。これに対して、趙立堅の上司に当たる華春瑩《かしゅんえい》報道局長はBBCの取材に対して次のように答えている。

オーストラリアの一部の軍人は、アフガニスタンで重大な犯罪行為を犯した。このことはオーストラリアのメディアが報じていることであり、オーストラリア国防部の調査報告でも確認されている。オーストラリア国防軍のキャンベル司令官は、この件に関する会見を開き、内容を報告している。報告によって明らかになった詳細は、人々を震撼させ、身の毛もよだつものだった。男性と男の子が集中的に殺戮されたり、目を潰され、喉をかき切られたり。二人の14歳の少年が、喉をかき切られた後に、袋に詰められて川に流されていた。新兵に、捕虜を殺戮する「練習」をさせていた。オーストラリアは、こうした残虐な暴行について、国際社会の一致した強烈な譴責と非難を受けた。

オーストラリアが、私の同僚のツイッターに対して、これほど強烈に反応しているのは、オーストラリアの一部軍人がアフガニスタンの無辜の市民を殺害した冷酷な行為には理があって、人々がこうした冷酷な罪行を譴責するのは理がないと説明したいのではないか？　アフガニスタン国民の命も、命なのだ！　オーストラリア政府はすべきことは、深く反省し、法によって凶手に縄をかけることだ。そしてアフガニスタンの国民に対して正式に謝罪し、永久にこうした罪行を犯さないということで国際社会の承諾を得ることだ。

(https://jbpress.ismedia.jp/articles/-/63103?page=2)

２０２０年11月19日、オーストラリアの国防軍司令官アンガス・キャンベル氏は軍の特殊部隊がアフガニスタンの民間人と捕虜を最低でも39人を違法に殺害したことを認め、戦争犯罪として裁くことを約束した。その意味では華春瑩報道局長の指摘したことはすべて間違いではない。しかし、だからと言ってオーストラリアのイメージを不当に貶《おとし》めるフェイク写真を拡散していいという話ではない。オーストラリア政府はこの件を戦争犯罪としてしっかりと捜査し、断罪することを約束している。これに対して、中国は「オーストラリアは反省が足らない」と上から目線でケチを付けて国際的なイメージを貶めようとしているわけだ。

さて、ここまで徹底して他国に干渉し、コントロールしようとしている中国が日本に対して何もやっていないということは考えにくい。そういえば、中国はオーストラリア批判と全く同じロジックを使って、日本の「戦争犯罪」を批判し続けている。もちろん、これだけでは済むまい。ハミルトン氏は前掲書の「日本語版へのまえがき」で次のように述べている。

北京の世界戦略における第一の狙いは、アメリカの持つ同盟関係の解体である。その意味において、日本とオーストラリアは、インド太平洋地域における最高のターゲットとなる。北京は日本をアメリカから引き離すためにあらゆる手段を使っている。北京は、日米同盟を決定的に弱体化させなければ日本を支配できないことをよく知っている。主に中国が使っている最大の武器は、貿易と投資だ。北京は「エコノミック・ステイトクラフト」（経済的国政術）というよりもむしろ「エコノミック・ブラックメール」（経済的脅迫）の使い手であり、中国と他国との経済依存状態を使って、政治面での譲歩を迫っているのだ。すでに日本には、北京の機嫌を損なわないようにすることが唯一の目的となった財界の強力な権益が存在する。中国共産党率いる中国との貿易と投資に関する協定が日本にとって「毒杯」となりうる理由は、まさにここにある。（中略）日本では、数千人にものぼる中国共産党のエージェントが活動している。彼らはスパイ活動や影響工作、そして統一戦線活動に従事しており、日本の政府機関の独立性を損ね、北京が地域を支配するために行っている工作に対抗する力を弱めようとしているのだ。

出典：『目に見えぬ侵略　中国のオーストラリア支配計画』（C・ハミルトン著　奥山真司訳　飛鳥新社）

オーストラリアに対して行われていた工作活動はおそらく日本でも行われていた。もちろん、ヨーロッパでも、アメリカでも。彼らは365日、24時間、休むことなく走り続けているのだ。そして、冒頭の寸劇にあったような事態が現実のものとなるような布石を打っている。例えば、日本のマスコミが一切報じていないこのニュースをご存じだろうか？

米政府が中国政府への情報の流れを制限しようとしている一方で、ニューヨークの国連事務局は、中国政府と協力して、世界規模の合同データハブを中国国内に構築し

ようとしている。（中略）

世界有数のハイテク監視国家である中国は、この計画を喜んで支援している。ビッグデータ面での中国と国連のパートナーシップに関する合意は、完了に近づいている。中国共産党のトップである習近平国家主席は（２０２０年…筆者注）９月22日、バーチャル形式となった第75回国連年次総会の一般討論演説の中でこの合意を発表した際、「国際問題に関して国連が中心的役割を果たすのを支援する」と約束。「中国は国連の地球規模地理空間情報イノベーションセンターとともに、２０３０アジェンダの実施促進に向けた持続可能な開発目標のためのビッグデータ国際研究センターを中国が開設する」と宣言した。

国連の記録によると、その場所が選定済みであることを示唆する。中国政府とＳＤＧｓの事務局を務める国連経済社会局は、趣意書に署名した。同局は事務総長の直属だが、２００７年以降、中国人がトップを務めている。このため、中国と国連を代表して趣意書に署名した当局者は２人とも中国人だった。

出典：「【寄稿】監視網拡大に国連を利用する中国」ウォールストリートジャーナル２０２０年10月８日（https://jp.wsj.com/articles/SB10376991142537874311504587023251947032494）

国連機関の中国人職員が中国政府の中国人と提携文書にサインする。まるでパロディーのような話だが、これが現実だ。そして、背後に中国共産党がいてすべてをコントロールしている。その目的は、全世界のデータを中国に集めること。恐ろしい監視社会が誕生する可能性はないのだろうか。2017年、いわゆる共謀罪の創設を含む改正組織的犯罪処罰法が制定される際に、日本の左派メディアおよび野党は次のようなデマを吹聴したのが記憶に新しい。日本共産党の公式サイトには未だにこんなものが残っていた。

相談・計画しただけで犯罪者

「共謀罪」は、実際の犯罪行為ではなく、「相談・計画」するだけで罪になります。

ラインやメールで「パワハラ上司、ムカツクね。制裁しなきゃ」と話し合っただけでも、「原発なくせ」「新基地反対」のデモで道路をいっぱいにしようと計画しただけでも、犯罪を準備したとみなされれば捜査・逮捕の対象に。

「共謀罪」
法案って何
?!
国民の思想・内心が
処罰の対象に

（日本共産党公式サイトより）

「何を罪に？」――捜査当局の腹ひとつ

「共謀罪」として何を適用するかは、まったく限定されず捜査当局の腹ひとつ。「一般人には関係ない」と政府は言いますが、だれが一般人かを決めるのも当局です。

ラインもメールも盗聴・監視される

相談やライン、メールなどを取り締まろうとすれば、盗聴、盗撮、密告に頼らざるを得ません。モノ言えぬ監視社会になります。大分県では、「選挙違反の可能性」を口実に労組事務所が警察に盗撮されていましたが、「共謀罪」によって市民生活全体に盗撮・監視が横行することになります。

(http://www.jcp.or.jp/web2/kyoubozai.html)

さすが日本共産党。なかなかいい視点だが肝心なところがズレている。市民生活全体を盗撮・監視する主体は日本政府ではなく、中国共産党の間違いではないだろうか？日本人が警戒すべきは、居酒屋で習近平の悪口を言うとなぜか日本の警察が捕まえに来るといった事態である。

世界中のデータが中国に集まり、共産党による監視社会が誕生する？

その布石はすでに打たれている。2020年6月30日、全世界が新型コロナウイルスのパンデミックで大混乱に陥るのを尻目に、中国の全国人民代表大会常務委員会は「香港国家安全維持法案」を全会一致で可決した。香港返還後、50年は一国二制度を守るとの国際公約は23年で破られた。全世界の反対を押し切って通したこの法律の第38条には、以下のようなことが書いてある。

「香港特別行政区の永住権を有しない者が、香港特別行政区外で、香港特別行政区に対して、本法が規定した犯罪を実施した場合、本法を適用する。」

極めて曖昧な条文だ。中国問題グローバル研究所所長の遠藤誉氏によれば、この条文は以下のように解釈できるそうだ。

まず「永住権を有しない者」とは、基本的には香港（＝中華人民共和国香港特別行政区）から見た「外国人」ということになるので、私たち一般日本人もその範疇に入る。わかりやすいように、日本人を例にとって話をすることにしよう。

私たちが、たとえば日本で「本法が規定した犯罪を実施した場合」には、香港国安法を適用し処罰の対象となると、第38条は言っているのである。（中略）

その意味で、「本法が規定した犯罪を実施した場合」とはどういう場合なのかを考察するのは非常に重要であろうと考える。

（中略）

以下に「北京」がほぼ確固として抱いている判定基準を示す。

1．香港独立や台湾独立などを叫んで大衆に呼びかけ、団体を作って扇動活動を行うこと。

2．香港市民あるいは団体などに抗議運動を行うよう、その支援金を供与すること。

「抗議運動」の中に「国家分裂、国家転覆、テロ活動」などが含まれていれば、完全に香港国安法の対象となる。

こういった内容に関わってない限り、どんなに個人で、海外で（例えば日本で）中国批判を行なおうと、それは処罰の対象とはならない。たとえば筆者が「習近平を国賓として日本に招聘してはならない！」といくら書こうと、それは処罰の対象にはなり得ないのである。

しかし仮に日本人の某氏が日本で「香港を独立させよう！」というスローガンを掲げて民衆に呼びかけ、団体を立ち上げて大きな運動のうねりを形成するようなことをすれば完全にアウトだ。街角に立たずにネット空間で賛同者を集めて社会的影響を与えた場合でも、もちろんアウトである。そのような場合は、万一にも香港や中国大陸に行ったり、あるいはその関連空港をトランジットに使ったりなどしたら、即刻逮捕されるだろう。中国と犯罪者引き渡し条約を結んでいる国に行っても危険だ。

出典：「中国を批判すれば日本人も捕まるのか？――香港国安法38条の判定基準」遠藤誉
(https://www.newsweekjapan.jp/stories/world/2020/07/38-5.php)

つまり、香港国家安全維持法の条文の中身は、外国人を外国でも逮捕できるような驚きの内容なのだ。ドイツ、フィンランド、カナダ、ニュージーランドなどが2020年に相次いで中国との間の犯罪人引き渡し条約を停止した理由はまさにこれである。中国共産党は国際的な犯罪人引き渡しの仕組みに便乗して、批判勢力の逮捕、拘束を目論んでいるのだ。

ご存じの通り、中国共産党はチベット、ウイグル、南モンゴルで人々を理由もなく拘束し収容所送りにする恐ろしい暴力団だ。彼らは中国という国を乗っ取り、人民をアメとムチでコントロールしてその権力を維持している。そして目的のためなら手段は選ばない。

２０２０年10月13日、国連人権理事会の選挙では、キューバ、ロシア、中国が47か国で構成される人権理事会のメンバーに選ばれた。これら3か国についてウォールストリートジャーナルは次のように報じている。

キューバは何十年にもわたって、政治犯収容所のようになっている。ロシアは最近、反体制派指導者アレクセイ・ナワリヌイ氏の暗殺を試みたにもかかわらず、メンバーとして議席を確保した。中国の得票数は２０１６年の１８０票からわずか１３９票に減った。中国共産党は個人の自由を尊重したことがないが、一部の国はさらに警戒を強めている。中国政府は最近、香港への支配を強め、民主的な台湾への脅しを強化しているほか、少数民族に対する抑圧的な取り組みを新疆からチベットへと拡大している。

出典：「【社説】国連の人権パロディー」ウォールストリートジャーナル　２０２０年10月19日
(https://jp.wsj.com/articles/SB10256236451038654020804587045511235768568)

まさにパロディーだ。しかし、こんなことを大真面目にやってのけるのが中国をはじめとした権威主義、全体主義国家の特徴である。そして、彼らは自分たちの言うことを聞かない国を許さない。武力での威嚇にとどまらず、ウソや詭弁を弄して徹底的に相手を陥れるのだ。先ほど紹介したオーストラリアに対するフェイク写真攻撃などは、まさに武器を使わない戦争と考えていいだろう。

中国は世界支配計画を進めている。しかし、それはオーストラリアによって暴露され、米中対立の激化で一時的に頓挫《とんざ》したように見える。しかし彼らは諦めない。彼らはデータを集め、地獄の監視社会の誕生を目指すのではないか？

人類を苦しめる「スカイネット（映画『ターミネーター』）」を一度生み出してしまったらもう終わりだ。

ジョン・コナーの蜂起を待つまでもなく、我々は「スカイネット」の誕生を阻止しなければならない。そのために日本人が知るべきこと、できることを本書に記したい。

第1章　自由の敵は笑顔でやってくる

一見正しい平和・人権のイデオロギー。その目的は？

自由と人権が尊重され、すべての人が平等で豊かに暮らせる社会、戦争のない平和な世界、社会正義の実現……誰がこの理想に反対できるのだろうか。それらが本当に実現するなら素晴らしい。筆者も全力で応援したい。

しかし、誰も反対しないこれらの理想を利用するだけ利用して、本当はそんなものを実現する気が全くない悪人たちがいたとしよう。彼らは、自分たちの本当の意図を隠し、絶対に反対できないこれらの理想を掲げて仲間を集める。ことあるごとに平和や人権を語り政府批判を繰り返すが、実際のところは社会を混乱させるのが目的だ。その混乱が非常に大きくなったとき、彼らはその隙を突いて権力を奪取する。実はこれが隠していた本当の目的だ。そして、一度権力を手に入れたら、今度はその力を永遠に自分のものにするためその固定化を図る。

もちろん、騙して集めた仲間にも賢いやつがいる。何かがおかしいと気づいて批判を始める者もいるだろう。だが、悪人は本当の目的は絶対に言わないし、ウソをつき通す根性がある。言い訳をコロコロと変えつつ、毎回相手が根負けするぐらいの大演説をぶつ。こうして相手を煙に巻くことで悪人たちは難を逃れるのだ。しかし、それでもしつこく追及してくる仲間がいるかもしれない。その時は、強権発動だ。自分を批判する者にはありとあらゆる罵詈雑言《ばりぞうごん》を浴びせる。レイシスト、ファシスト、軍国主義者、裏切り者、売国奴、スパイなどと決めつけ、人格を否定するのだ。そして、最後に自分の息のかかった党紀委員会の正式な手続きを経て彼らを排除する。どこが平和か？　どこが正義か？　やっていることは暴力団と変わらない。彼らは理想を手段として用いただけで最初からそんなものを実現する気はなかったのだ。

こんな悪魔のような人間がこの世に存在するのか？　残念だが、彼らは実在する。この世に存在する全体主義国家は概ねそういう国だ。共産党はお花畑のような理想を語りつつ、暴力で国を乗っ取り、国民を搾取する。そして、自国の脅威となる存在に対しては徹底した工作活動で弱体化を図る。相手が外国政府や外国の国民であっても容赦しない。その点について、スイス政府は国民に配布した『民間防衛』という本の中で次のように警告している。

国を内部から崩壊させるための活動は、スパイと新秩序のイデオロギーを信奉する者の秘密地下組織をつくることから始まる。この地下組織は最も活動的で、かつ、危険なメンバーを、国の政治上層部に潜り込ませようとするものである。彼らの餌食となって利用される「革新者」や「進歩主義者」なるものは、新しいものを待つ構えだけはあるが社会生活の具体的問題の解決には不慣れな知識階級の中から、目をつけられて引き入れられることが、よくあるものだということを忘れてはならない。

数多くの組織が、巧みに偽装して、社会進歩とか、正義、すべての人人の福祉の追求、平和というような口実のもとに、いわゆる「新秩序」の思想を少しずつ宣伝していく。この「新秩序」は、すべての社会的不平等に終止符を打つとか、世界を地上の楽園に変えるとか、文化的な仕事を重んじるとか、知識階級の耳に入りやすい美辞麗句を用いて……。

不満な者、欺かれた者、弱い者、理解されない者、落伍した者、こういう人たちは、すべて、このような美しいことばが気に入るに違いない。ジャーナリスト、作家、教授たちを引き入れることは、秘密組織にとって重要なことである。彼らの言動は、せっかちに黄金時代を夢みる青年たちに対して、特に効果的であり、影響力が強いから。

出典：『民間防衛』（スイス政府編　原書房編集部訳　原書房）P228

外国の指令を受けたエージェントはターゲット国を内部から崩壊させるために活動をしている。残念ながら、それは簡単には見えない。さらに、多くの場合は暴力を伴わない形で目的を達成してしまう。だから、我々はこれら目に見えない侵略行為からしっかりと身を守る必要がある。でも、どうやって？

少なくともそういう恐ろしい国が存在し、過去においてさまざまな工作活動が行われていたという歴史的事実を知ることが大事だ。繰り返すが、こういった目に見えない工作活動をしている国は、自由や人権のない強権的な全体主義国家だ。民主的な選挙もなければ、国民の人権など一顧だにされない。そういう国にとって自由で開かれた社会は存在そのものが自らのアンチテーゼであり、国の存立を脅かす脅威なのだ。強権的な全体主義国家の国民は、自由で開かれた社会にあこがれを持つだろう。そのあこがれが民主的な選挙を要求する政治運動になったらどうなるか？　１９８９年、東ヨーロッパの社会主義諸国で連続して起こった民主化運動と共産党政権の崩壊、１９９１年のソ連崩壊、２０１１年初頭から始まった中東・北アフリカ地域の独裁国家の崩壊（アラブの春）

……。その国を乗っ取り、権力を掌握していた暴力団はあっさりと排除されてしまった（正確に言えば、前の暴力団は排除したが、新しい別の暴力団に再び乗っ取られたケースもいくつかある）。

一見強面《こわもて》に見える強権的全体主義国家だが、一度崩壊へ向けて転がり落ち始めると意外に脆《もろ》い。逆に言えば、国を支配する暴力団はその脆さを自覚しているからこそ、崩壊のずっと手前で食い止めようと普段から反乱分子に目を光らせているのだ。そして、その監視の目は、国内はおろか国外にまで向けられている。

だからこそ、ありとあらゆる手段を使って自由で開かれた国を攻撃するのだ。そのためにはウソも賄賂も、ハニートラップも盗聴も尾行も誘拐も、時には殺人さえも許される。なぜなら、彼らは相手を滅ぼさなければ、いずれ自分たちが滅ぼされると考えているからだ。普段、自由で開かれた社会に暮らす我々と、強権的全体主義国家を取り仕切る暴力団たちとの間には現状認識に対する大きな隔たりがある。我々にとっての平和は、お互いの差異を認め合い、できる限りの友好的な関係を築くことである。ところが、全体主義国家を仕切る暴力団にとっての平和とは、全世界を支配し、自分たちに敵対する勢力を完全に殲滅した状態、誰も自分たちに歯向かってこない状態を指す。

ロシアを乗っ取っていたソ連共産党という暴力団は民主化運動によって権力の座から

引きずり降ろされたはずだ。しかし、共産党という暴力団が去った後、短いエリツィン政権が終わるころには新たな暴力団がロシアを仕切るようになってしまった。それはソ連崩壊のどさくさに紛れて国有企業を強奪した旧共産党、ソ連軍、情報機関の幹部たち（新興財閥、オリガルヒと呼ばれる）と、彼らに担がれたプーチン氏の連合体だ。

２０１９年のクレディスイスの調べ（※１）によれば、ロシアにおいては10％の富裕層がロシア全家計の富の83％を所有しているそうだ。これはアメリカの76％を上回り、世界最大の貧富の差を示している。民主的な選挙が導入され、経済活動の自由も保証されるようになったロシアだが、結局元の木阿弥だったようだ。さらに、ソ連崩壊から15年も経った２００６年にもこんな恐ろしい事件を起こしている。

英内務省の公開調査委員会は（２０１６年１月…筆者注）21日、２００６年にロンドンで起きたロシアの元情報将校アレクサンドル・リトビネンコ氏の毒殺事件について、ロシアのプーチン大統領が殺害を「おそらく」承認していたとする調査結果を発表した。

報告書は、プーチン大統領とリトビネンコ氏の個人的な「対立」が、大統領が毒殺を承認した理由のひとつだろうと指摘している。死亡当時43歳だったリトビネンコ氏の体からは、放射性物質ポロニウム２１０が検出された。

(https://www.bbc.com/japanese/35379006)

もちろん、プーチン政権はリトビネンコ暗殺を公式には認めていない。そもそも、強権的な全体主義国家がこういった謀略活動について自白することはまずないと思ったほうがいい。本当のことが分かるのは、全体主義国家が崩壊した後か、よほど困って何かと引き換えに認めるかだ。

ソ連崩壊後はじめて明かされた工作活動

これは日本でも実例がある。２００２年9月の小泉首相訪朝まで、日本国内の親北派は日本人拉致問題について、何と言っていたか覚えているだろうか？　社会党も共産党も「拉致はでっち上げだ」と言い、朝日新聞をはじめとしたマスコミも確たる証拠はないとまともにこの問題に取り合わなかった。

しかし、2002年の小泉訪朝の際、当時北朝鮮のトップだった金正日がコメ支援欲しさに日本人拉致を認めると、彼らの態度はコロっと変わった。共産党の不破委員長に至っては、「現場が勝手にやったとは思わなかった」という趣旨の苦しい言い訳をしたそうだ。当時、共産党の幹部としてこの演説を横で聞いていた筆坂秀世氏は、呆れてひっくり返りそうになったという。とはいえ、もし小泉訪朝の際に北朝鮮が拉致を認めていなかったら、今でも日本国内の親北派は「拉致には証拠がない」などと言い続けていたことだろう。確かに、証拠もなく外国の工作機関を犯人だと決めつけるのは良くない。しかし、彼らは絶対に自白などしないし、そもそもこの活動自体が国の存立をかけた命がけの工作である。動かぬ証拠があっても、自分からは絶対に認めることはないだろう。通常の刑事司法手続きのように「疑わしきは罰せず」という態度なら、彼らとしてはやりたい放題になる。それで本当にいいのか、よく考えてほしい。自由で開かれた社会を守るために、それを壊そうとする者にはそれなりの態度で臨まざるを得ないのではないか？

彼らの恐ろしい計画は、暴力団が権力を失いすべての証拠が明らかになったときにしかわからない。例えば、ソ連崩壊直後の1992年にロシアからイギリスに亡命したワシリー・ミトロヒンによってもたらされた大量の機密文書には、対日工作に関する恐るべき記述がたくさんある。

ミトロヒンはソ連国家保安委員会（KGB）の元エージェントであったが、KGBにやや批判的なことを口にしたため、1972年に文書係に左遷された。この人事異動は日本の会社でいうなら社史編纂室への異動みたいなものである。しかし、文書係とはいっても、KGB第一総局の文書をファイリングする責任者であり、すべての機密文書にアクセスすることができるポジションであった。そこで、ミトロヒンはKGBに対してささやかな復讐を開始する。監視の目をかいくぐり機密文書をメモして自宅に持ち帰り膨大なアーカイブを作成したのだ。

1992年、ソ連崩壊のどさくさに紛れてミトロヒンはこの文書をイギリスに持ち出すことに成功した。その詳細については『ミトロヒン文書　KGB・工作の近現代史』をお読みいただきたいが、象徴的な事件をいくつか紹介しておこう。

ミトロヒン文書によると、KGBは、「安保闘争」を盛り上げただけでなく、第一総局のA機関（偽情報・秘密工作担当）に命じて日米安保条約附属書を偽造し、プロパガンダ工作を行っていました。

この附属書によると、米軍は旧安保条約と同様に日本国内の暴動鎮圧に出動することになっていました。実際には新安保条約にそのような附属書は存在しないのですが、安保改定後も米軍が日本国内での暴動鎮圧にあたる密約があるという偽情報を拡散したわけです。偽造附属書ではさらに、日米の軍事協力の範囲が中国沿岸とソ連の太平洋艦隊を含むことになっていました。

この偽情報を使って、「日本はアメリカに支配されている！」「日本は海外に武力進出するのか！」と、政治不信と安保反対運動を煽るという筋書きです。自衛隊のＰＫＯ初参加のときも、小泉内閣の有事法制制定のときも、第二次安倍内閣の平和安全法制制定のときも、こういう煽り方は感心するくらい変わっていません。

こうした積極工作の他にＫＧＢが日本に対して行っていた工作は、大きく分けると、①有事および平時の特殊工作、②日本の政官財界やマスコミへの浸透と工作員獲得、③科学技術情報収集の三つがありました。

出典：『ミトロヒン文書　ＫＧＢ・工作の近現代史』（山内智恵子著　江崎道朗監修　ワニブックス）Ｐ１９６

２０１５年の安保法制を巡る騒動が起こった際によく比較されたのが１９７０年の安保闘争だ。この時、安保闘争の中心となった学生運動の「闘士」たちが、２０１５年に再結集したと言われている。実際に国会前に集まっていた人々の大半は団塊の世代に属する老人であり、マスコミがクローズアップしていた若者たちなるものはほんの一握りに過ぎなかった。そして、この団塊の世代が若かりし頃、安保闘争はソ連の情報機関であるＫＧＢに踊らされていたのだ。当時からそのような「噂」はあったのだが、当事者であるソ連の機密文書によってそれが確かめられたことは非常に重要だ。

経済が好調になると過激思想は支持を失う

幸いなことに、この恐ろしい対外工作活動は必ずしも成功しなかった。なぜなら、１９６０年をピークに学生運動は次第に下火になっていったからだ。その最大の理由は日本経済が空前の好況となったことにある。いくら外国が工作活動を仕掛けたところで、対象国の国民がその煽動に乗らなければ何の効果もない。景気が良くて国民が金儲けに忙しい場合、工作員の仕掛ける偽情報に耳を貸す者は少ない。現状に満足している人間は楽しいことに忙しく、政府に不満を言っている暇はないからだ。

拙書『経済で読み解く日本史』（全6巻　飛鳥新社）において、私は「経済的に困窮した人々は、救済を求めて過激思想に走る」という歴史法則を説いた。人は経済的に困窮するとやけっぱちになる。そしてキレる理由を探すのだ。そんな時、外国の工作機関が創作した流言飛語、偽情報、陰謀論に人々は飛びついてしまう。

例えば、1960年にあれほど激しく盛り上がった安保闘争の直前に「なべ底不況」と呼ばれる景気の後退局面があったことを忘れてはならない。

グラフをご覧いただければわかる通り、実はなべ底不況は1958年の後半にはすでに終わっていて、岩戸景気が始まっていた。しかし、統計上そうであったとしても一般庶民がその実感を得るまでには時間がかかる。アベノミクスが始まってとっくに景気が良くなっているにもかかわらず、それを実感できない人が沢山いたのと同じだ。

彼らが景気回復を実感しない限り、キレやすい状況は続いている。そんな時、火に油を注ぐようなことをするのが外国のエージェントである。ミトロヒン文書にもソ連が学生運動を側面支援していることが明記されていたことを思い出してほしい。

高度成長期の実質GNPと実質経済成長率(1970年基準)

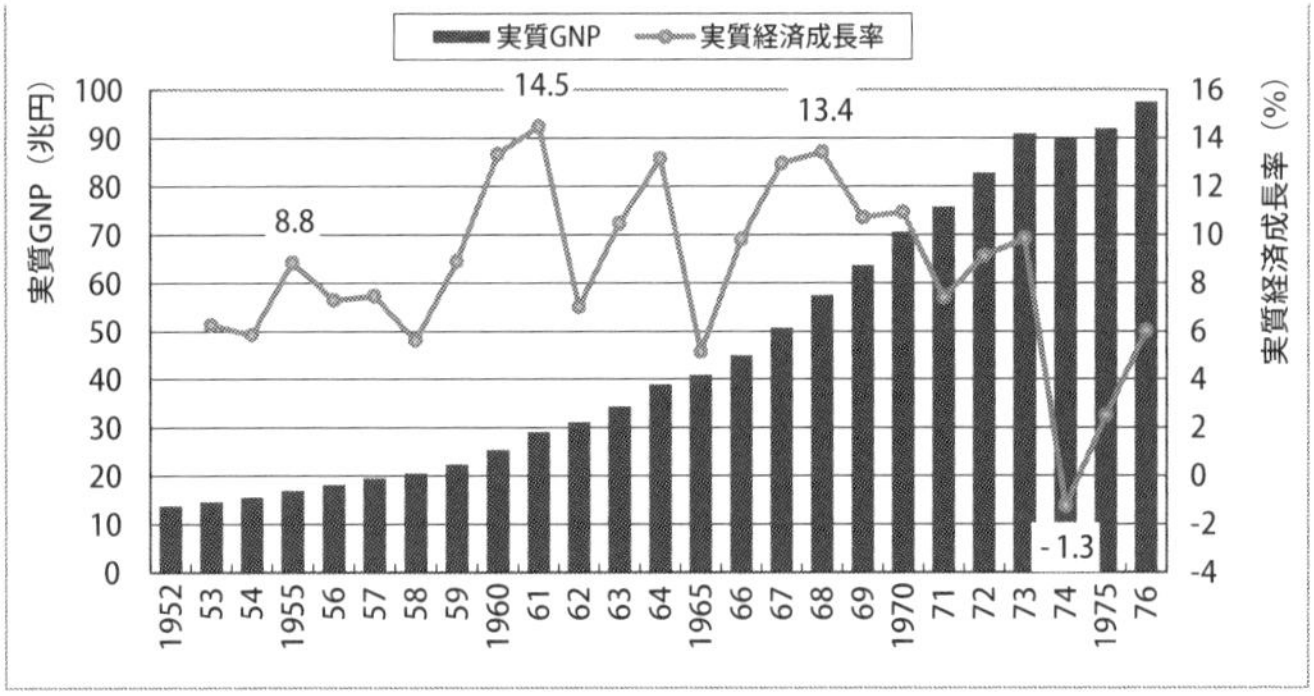

1954.11－57　神武景気（1955 数量景気）	1962.10－64.10　オリンピック景気
1957－58.6　なべ底不況	1964.10－65.10（昭和）四十年不況（証券不況）
1958.6－61　岩戸景気	1965.10－1970 年　いざなぎ景気

経済企画庁『国民所得統計年報』昭和35年版をもとに作成

そんな瀬戸際な状況において、池田勇人《いけだはやと》首相は１９６１年から高度経済成長政策を実行に移した。池田首相のブレーンであった下村治《しもむらおさむ》氏は、技術革新によって日本の生産性は大きく向上し、経済成長する余地が十分にあると予言した。この予言は的中し、日本の経済成長率は毎年10％を超えた。人々は急速に豊かになっていった。学生運動は続くには続いたが、その勢いはどんどん低下していく。落ち目になると始まるのが純化路線と仲間割れだ。学生運動はどんどん過激化し、銀行強盗、爆弾事件、人質事件などのテロや、対立するセクトによる殺し合い（内ゲバ）が多発した。一般大衆の心は学生運動からどんどん離れていき、運動は社会から完全に孤立した。決定的だったのは、１９７２年の浅間山荘事件だと言われている。事件後に暴かれた「粛清」という名の凄惨な大量殺人に、多くの日本人はドン引きしたのだ。

ちなみに、ＫＧＢによる学生運動支援は１９６０年以降も続いていたようだ。ミトロヒン文書によれば、１９６５年10月のベトナム反戦デモと同時に東京のアメリカ文化センター内図書館を攻撃する「ヴァルカン作戦」というテロ作戦が準備されていた。この作戦は未遂に終わるが、その4年後ピース缶爆弾事件として実行されたらしい。前掲書には次のような記述がある。

工作員「ノモト」が図書館の閉館直前に、本型の爆弾とアメリカ製タバコの箱に仕込んだ起爆装置を本棚に仕掛け、早期に爆破するよう時限装置をセットする計画です。KGBの犯行であることを隠すため、米軍施設への攻撃を呼び掛ける日本の極右団体のビラをA機関が用意することになっていました。ソ連はよく、自らの犯行を極右団体のせいにする偽装工作をしていました。（中略）

ミトロヒン文書には、結局この計画が実行に移されたかどうかの記述はなく、一九六五年の新聞には該当する事件の記事は見当たりません。

ところが、一九六九年十一月一日に、アメリカ文化センターに時限爆弾が送りつけられて職員一名が負傷するという事件が起きていたのです。爆弾はアメリカ製タバコではなく、ピース缶に仕込まれていました。一九六九年から一九七一年にかけて、この事件を含めて四件の爆破殺傷事件（総称して土田・日石・ピース缶爆弾事件）が続き、警察はこの四件の被疑者として十八人の過激派学生を逮捕しました。裁判の結果、別件有罪の一人を除いて全員が無罪になりました。

（前掲：『ミトロヒン文書　KGB・工作の近現代史』）

筆者が大学に入学した１９８９年の段階で、学生運動に関わる学生は数えるほどしかいなかった。１９６０年、国会前に33万人（主催者側発表、警察の発表によれば13万人）も動員できたのは遠い昔の話になっていた。経済成長こそが過激思想を根絶する最大の武器であることは間違いない。

しかし、これだけ落ち目になった左翼運動は死んではいなかった。平成に入ると、日本の左翼は左翼と名乗ることを止め、リベラルと自称して目先を変えた「新秩序」を語りだした。しかし、目先を変えても同じことは繰り返す。

左翼の特徴は歴史を勝手に書き換えて、自分たちの都合の悪いことをなかったことにしてしまうところだ。ここで再びスイス政府編『民間防衛』の一節を繰り返し引用する。

数多くの組織が、巧みに偽装して、社会進歩とか、正義、すべての人人の福祉の追求、平和というような口実のもとに、いわゆる「新秩序」の思想を少しずつ宣伝していく。この「新秩序」は、すべての社会的不平等に終止符を打つとか、世界を地上の楽園に変えるとか、文化的な仕事を重んじるとか、知識階級の耳に入りやすい美辞麗句を用いて……。

（前掲：『民間防衛』）

「新秩序」の思想は歴史上何度も広められ、多くの人がそれに煽動された。しかし、革命が起こってみると、結局そこには強権的な全体主義国家が生まれた。社会進歩も、正義も、すべての人々の福祉の追求も、平和も全く実現しなかった。それどころか、ソ連、中国、カンボジアをはじめ多くの社会主義諸国で第二次世界大戦の戦死者を上回る虐殺、餓死が発生している。ソ連はスターリンの粛清で2000万人が殺されたと言われている。中国の毛沢東は大躍進政策だけで5000万人から6000万人の命を奪った。カンボジアに至ってはポルポトの粛清で人口のほぼ4分の1にあたる約150万人が命を落とした。これらの大量死は外国の攻撃によるものではない。全体主義国家を取り仕切る暴力団によってもたらされた自国民の死だ。

なぜ社会主義経済はうまくいかないのか？　その理由は簡単だ。経済には絶対に逆らえない掟《おきて》がある。例えば、通貨を発行し続ければ必ずインフレになるし、変動相場制の国が金融緩和なしに財政拡張を行えば自国通貨高になるし、モノとお金はバランスしていてモノ不足になればモノの価値は上がりお金不足になればお金の価値が上がる。どんなに強い権力を持っていても絶対にこの掟に逆らうことはできない。

経済学的思考と反経済学的思考

ところが、社会主義国家を取り仕切る暴力団は、何でも政治的な権力によってどんな結果でもコントロールできると信じている。だから、大抵の国が計画経済だし、計画したことは統計を偽造しても達成したことにしてしまうのだ。ソ連が崩壊した後に判明したことだが、経済成長率が相当水増しされていて、実際のＧＤＰは公式発表の半分しかなかったというのは有名な話だ。

社会主義を含む、全体主義国家の暴力団たちは反経済学的思考に毒されている。経済学的思考と反経済学的思考の違いについて、立命館大学教授の松尾匡氏がまとめた分かりやすい対比があるので紹介したい。

経済学的発想の典型的構造

1）自律運動命題：経済秩序は人間の意識から離れて自律運動した結果である。これを人間が意識的に操作しようとしたら、しばしばその意図に反した結果がもたらされる。

2）パレート改善命題：取引によって誰もがトクをすることができる。

3）厚生の独立性命題：他者と比べた厚生の優劣よりも、厚生の絶対水準の方が重要である。

反経済学的発想の典型的構造

1）操作可能性命題：世の中は、力の強さに応じて、意識的に操作可能である。

2）利害のゼロサム命題：トクをする者の裏には必ず損をする者がいる。

3）優越性基準命題：厚生の絶対水準よりも、他者と比較して優越していることが重要である。

出典：『経済政策形成の研究―既得観念と経済学の相克』（野口旭編　ナカニシヤ出版）

これまでの人類の歴史を振り返れば、反経済学的発想は必ず敗れてきた。ソ連のように敗れるまでに70年もかかるケースもあるが、やはり最後は破綻した。問題は、彼らが敗れるまでの間、反経済学的思考が成り立っているかのように見えることだ。その錯覚を事実だと誤認し、「不満な者、欺かれた者、弱い者、理解されない者、落伍した者」が吸い寄せられる。そして、権威主義的な全体主義国家は彼らを利用し、自由で開かれた社会の破壊を試みるのだ。

　ところが、それを試みたソ連とその同盟国である東欧諸国は崩壊した。中国は社会主義を捨て、格差の容認と実質的な縁故資本主義放置へと舵を切った。それでも、旧社会主義圏には未だ権威主義的な全体主義国家が生き残っている。中でも中国は未だに全世界に向けてさまざまな工作活動を実施している。油断も隙もありはしない。

　日本の社会科教育において、自由で開かれた社会の敵に関する事実は一切教えられていない。もちろん、特定の国を敵視するような教育はいけないし、私も差別には反対だ。しかし、自由な社会に混乱をもたらし、その崩壊を画策する邪《よこしま》な暴力団の存在は教えなければならない。そして、その暴力団に国を乗っ取られたロシアや支那（注：現在の中華人民共和国から占領地であるチベット、ウイグル、南モンゴル、満洲を除いた地域）について知らしめるべきだ。さらに暴力団から迫害を受けるチベット、ウイグル、南モンゴルの人々について知らしめるべきだと思う。共産党の吹聴する「新秩序」に導かれた結果、多くの人が殺され路頭に迷った歴史的事実を。

ところが、現在の日本の歴史教育においては、先の大戦における日本軍が与えた被害だけが殊更に強調されるのみだ。もちろん、戦争のすべてが正しいとは言わない。しかし、その戦争のどさくさに紛れて、社会主義諸国において行われたシステマチックな死について隠蔽することは許されない。これらは戦争が終わった後も続き、亡くなった人の数も戦争とは桁違いだ。人類に対する犯罪とはまさにこのことである。

ところが、そんな過去はなかったことにして、今日も「数多くの組織が、巧みに偽装して、社会進歩とか、正義、すべての人人の福祉の追求、平和というような口実のもとに、いわゆる『新秩序』の思想を少しずつ宣伝していく」のである。私が子ども時代を過ごした1970年代から1980年代にかけても、学生運動が凄惨な殺人事件でテレビのワイドショーを騒がせていたにもかかわらず、まるでそれとは無関係のように「新秩序」の宣伝は行われていたのだ。

左翼少年があこがれた理想の国〜みんな平等で大学まで教育費もタダ

少し個人的な思い出話をしたい。私は1969年生まれで、1970年代半ばから1980年代にかけて小中高に通った。両親ともに公務員の共働き家庭で、必ずしも金持ちではなかったし、家も相当ボロかった。家が商売をやっている友達や親が地元の信金に勤めている友達に比べればかなり貧乏だったと思う。

私が生まれ育った東京都青梅市は東京都とは言っても西の子どもとはずれにある田舎町だった。私の友達の両親はたいてい青梅市かその近隣の出身で、親も同じ小学校に通っていたような人がほとんどだった。私の母は青梅出身だったが、父は兵庫県の西宮市出身であり、まだ当時は少し関西なまりが抜けていない〝よそ者〟だった。

5月生まれで体も大きかった私は、足が速く勉強もそこそこできて少しマセたガキだった。だから、我が家の経済事情はよくわかっていた。そして、うちの家族は微妙によそ者であることも理解していた。

ここで再び『民間防衛』の一節を引用する。

「不満なもの、欺かれた者、弱い者、理解されない者、落伍した者、こういう人たちは、すべてこのような美しいことばが気に入るに違いない。」

まさに私は貧乏であることに不満で、理解されない者だったに違いない。だからこそ、共産党の先生のオルグにコロっと引っかかってしまった。小学校5年生の頃である。

当時、私が染まっていた考えは概ね次のようなものだった。

「日本はかつてアジア諸国を侵略し多大なる迷惑をかけた。そして戦争に負けてどん底を味わった。ところが、日本を戦争に導いた軍国主義者はまだ生きていて、この国を支配している。それが自民党だ。自民党はきみたちを再び戦場に送り込むために着々と準備している。中学校に行ったら制服と校則できみたちの自由は制限される。そして受験競争で魂を失わせ、反抗できないようにするのだ。」

「日本の大企業は軍国主義者の味方で貧しい人から搾取して莫大な利益を上げている。きみたちが食べているヤ◯◯キパンは中国人の髪の毛でできているって知ってたか？加工食品はみんな毒が入っている。ソースは糊でできているし、コーラを飲めば歯が溶ける。食べてもいいのは生協の食べ物だけだ。それ以外は全部危ない。寿命が縮む。」

「ソ連や中国や北朝鮮は素晴らしい国だ。貧富の差はなく、みんなが平等で幸せに暮らしている。小学校から大学まで勉強したい人はいくらでも行くことができる。しかも学費は無料だ。ところが、アメリカという悪い国がいて、彼らを敵視して嫌がらせをしている。そしてすごく恥ずかしいことに日本はこのアメリカの手下なのだ。アメリカの言いなりになってはいけない。先の大戦で日本がアメリカにどれだけ酷い目に遭わされたか忘れたか？『はだしのゲン』を読みなさい。灰谷健次郎の本を読みなさい。沖縄をメチャメチャにし、広島に原爆を落としたのはアメリカだ！」

すべてがウソとは言えないが、今から思えばかなり雑な主張だ。しかも、事実の解釈が荒唐無稽である。しかし、田舎者の小学生を脅かすには十分すぎる内容だった。教師といえば、親の次に接する時間の長い大人だ。小学校の担任教師が繰り返しこういう話をすれば、子どもはいつの間にかそれに染まる。特に、勉強ができる賢い子、正義感の強い子ほど染まりやすい。

「そうか、うちの家が貧乏なのも、中学校が荒れているのも全部軍国主義者とアメリカのせいだったのか！」と私はすべての謎が解けたような気になり、左翼思想にハマっていった。小学校6年生の時にこの本を読んで感想文を書くようにと渡されたのは『スターリングラード』という本だった。おそらく、赤軍の機関紙『赤い星』の従軍記者だったワシリイ・グロッスマンの書いた『スターリングラード』だったと思う。狙撃兵の話が印象に残っているがそれ以外はまったく覚えていない。

中学校に進学すると、私は何を血迷ったか、「塾は右翼だ」と決めつけるようになった。なぜなら、受験競争を煽り、子どもたちの関心を社会正義や道徳、そして腐りきった政治に向けさせないための陰謀だと思ったからだ。私は塾に行かずに高校受験を勝ち抜くことによって、その陰謀を打ち砕く象徴になろうと試みた。非常に変わった中学生だった。

そんな私を助けてくれたのは左翼教師だ。たぶん、左翼思想に染まった私は、逆に左翼教師を吸い寄せるようになっていたのかもしれない。その先生はおそらく元ノンセクトの活動家で、塾講師の経験もあった。塾時代に使っていたプリントを私にくれて、添削指導までしてくれた。すべてボランティアだ。おかげで私は第一志望から滑り止めまで、受験した高校すべてに合格できた。ただ、一つだけ残念だったのは、この合格実績が社会的に何のインパクトも与えられなかったことだ。さらに、私の革命を引き継ぐ者が現れず、この運動が広まらなかった。残念ながら革命は失敗した。

高校に入ると、天皇陛下を授業中に罵倒する、今から思えば非常に不敬な国語教師と意気投合し、左翼思想のブーストを受けた。ちょうど私が高校生だった１９８０年代中盤は、突如として南京事件、７３１部隊、慰安婦問題が国際問題として蒸し返されていた時期だ。当時、愛読していたヤングジャンプには石坂啓の描いた従軍慰安婦の漫画が掲載されていた。もちろん、その内容は事実に反する。慰安婦は今でいう風俗嬢であって、当時は合法的な商売だった。戦争によって朝鮮半島が不景気になったため、朝鮮の妓生《キーセン》業者が戦地での営業許可を求め、戦地の軍政部がそれに応じたというのが実情だ。強制連行でもなければ、性奴隷でもない。もちろん、売春という商売自体を肯定するつもりはないが、当時は全世界的に「プロフェッショナル・キャンプ・フォロワー」というビジネスが合法であり、存在したわけであるから、殊更日本だけが悪いとは言えない。

石坂啓の漫画にはそういった大事なディテールがすべて欠損しており、卑怯にも慰安婦を置き去りにして撤退した日本軍に代わって、慰安婦が武装してアメリカ軍と戦うという荒唐無稽な内容だったと記憶している。インターネットの存在しなかった当時、この漫画に反論するエビデンスを見つけるのは極めて困難だった。そして、私はこの漫画の内容を信じた。そしてこう思ったのだ。

「再び戦争を起こそうとする人々が旧日本軍の残虐行為、非倫理的行為をなかったことにしようとしている。慰安婦問題はその証拠だ。悲惨な戦争の過去を風化させ、戦争の痛みを忘れさせるのが目的に違いない。なぜなら、再び戦争を始める際に、それらの記憶は邪魔になるからだ。徴兵制は近い！　軍靴の足音はもうすぐそこまで来ている！　間違いなく日本は戦争に向かっている!!」

「今の自民党政権は国民を再び戦争に導こうとしている悪魔であり、この自民党一党支配を終わらせなければならない。」

高校生といっても所詮はまだ子ども。左翼は判断力のない子どもを平気で利用する。ヤングジャンプのような雑誌にまで浸透してくるとは本当に恐ろしいことだ。左翼のそんな悪魔のような考えには思い至らず、私は言われたことを素直に信じ、日本の未来を憂いていた。

アメリカ留学体験と大学弁論部、経済学の学びで左翼思想から離脱《ウォークアウェイ》

しかし、そんな私も徐々に左翼思想から足を洗うことになる。キッカケの一つは高校3年生時のアメリカ留学だ。アメリカに住んでみて、誰もがそうであるように私は自分が日本のことをあまりにも知らないことに気づかされた。

余談だが、当時のアメリカは今のようにBLMもいなければポリコレもさほどうるさくなかった。私から見れば、アメリカには日本的な意味における左翼が存在していなかった。あれから、30年以上経って、今アメリカには社会主義者を自認するバーニー・サンダースのような政治家がいる。当時から考えればあり得ない話だ。

左翼の存在しない社会で1年間過ごしたことで、私は徐々に変わり始めた。帰国後、高校を卒業して大学で弁論部に入り、自分以外の思想や考え方を持つ仲間に出会うと、私の中の左翼洗脳は徐々に解けていった。

よく考えてみると、私が小中高を通して感じていた漠然としたこの世の矛盾について、真剣に話を聞いてくれるのは左翼の先生だけだったように思う。友達からは面倒くさい

やつだと思われ、親もうんざりしてまともには答えてくれない。社会問題や政治、思想などについて、まともに話せる相手が左翼教師だけだったから、話しているうちにその思想に染まってしまったのだ。

ところが、アメリカに行ったり、弁論部に入ったりして左翼以外の考え方がこの世に存在することを知るようになると、必ずしも私が信じている左翼思想だけが正しいわけではないと知った。世の中にはいろいろな考え方がある。他人の意見でも傾聴に値するものがある。そんなふうに思想をニュートラルに戻すことができた。

とはいっても、当時の私はまだ心は左寄りだったことに変わりはない。革命は諦めても、議会制民主主義を通じた世の中の改革が必要だと思っていた。選挙で自民党が勝つと不満だったし、社会党のマドンナ旋風、与野党伯仲、細川連立内閣で日本は変わると本気で思っていたのだ。

ところが、社会人になってついにこういった穏健な社会主義政党ですら見限った。なぜなら、私は自分の間違いに気づいてしまったからだ。きっかけは30歳ごろから本格的に始めた経済学の勉強だ。

マクロ経済学は経済政策とその結果の因果関係について探求する学問だ。そして、国の政策は実験ができない。だから、歴史上何があったのかについて、昔の統計数値などを現代の数理モデルに当てはめて真実を追求する。そのため、歴史的事実の把握は重要だ。

私は平成の長期停滞の理由を探る過程で、昭和恐慌との類似性に繋がった指摘するリフレの経済学に出会った。そして、日本が昭和恐慌をいかにして脱したかという歴史的事実を膨大なエビデンスと共に学んだ。その中で、1931年、民政党の若槻内閣が倒れ、政友会の犬養内閣に政権交代したことが経済政策のレジーム転換だったという事実を知った。高橋是清による財政金融政策が実施されたのは、まさにこの政権交代のお陰だ。

私が学校で習った雑な日本史の知識によれば、戦前は軍部という恐ろしい人たちが、特高警察を使って国民を監視し、すべてを支配していたはずだった。日本は全く自由のない北朝鮮のような国だったと学校では習ったのだが、どうもそれはウソだったようだ。

新聞は世論を煽り、煽られた人々は投票先をそのたびに変えて政権交代が起こり、政権が変わると政策が一変する。証拠となる新聞記事、選挙結果、経済政策、そして何よりも経済統計がそれを示していた。これは衝撃的な事実だった。

軍国主義者という悪いやつが国民を脅迫して無理やり戦争に導いたのではないのか？　そしてその軍国主義者はまだ生きていて、私たちを戦場に送りアジアの国々を侵略しようとしていたのではなかったのか？　あれはすべてウソだったのか⁉

戦争を求めたのは新聞に煽られた民衆

そもそも、日本が対米開戦という無謀な賭けに出た理由は、私が習ったものとは全然違っていたのだ。日本政府によるたび重なる経済失政で困窮した人々は、ヤケを起こして過激思想に染まった。新聞は政党政治の腐敗を誇張し、それがもう限界だと煽った。いや煽りまくったと言っていい。経済的に困窮した人々は、新聞の過激な論調に狂喜乱舞した。そして、新聞に煽られるがまま、自らが選んだ代表である国会議員に不信感を募らせた。議会制民主主義を破壊し、エリートによってより良く導かれる社会、スイス政府の言うところの「新秩序」を求めたのは日本の民衆だったのである。

だからこそ、新聞は二・二六事件のようなテロ事件の首謀者たちにも同情的であり、ロンドン海軍軍縮条約における統帥権干犯問題でも当時野党だった政友会と軍部の過激派の肩を持った。その主張は「腐敗した政治家が私腹を肥やしてこの国をダメにしている。だから我々は貧しいままなのだ。今こそやつらを打ち倒し、エリートがより良く人々を導く理想社会を作れ。」という趣旨である。それはまさに民主主義の否定だ。官僚独裁、いや社会主義と言ってもいいだろう。

そのプロパガンダは、1940年の近衛文麿首相の新体制運動とそれに続く全政党解散（大政翼賛会）によって結実する。日本の民主主義は後戻りできない罠にハマり込み、翌年対米開戦という極めて誤った判断に至ったのである。

では、ここで考えてみてほしい。新聞は不景気で人々がキレやすくなっている時に、なぜわざわざ火に油を注ぐような煽り記事を掲載し続けたのか？　一義的には、そうやって危機を煽ると新聞が良く売れたということはあるだろう。

2020年の武漢肺炎のパンデミックに際して、一番視聴率を稼いだワイドショーはテレビ朝日『羽鳥慎一モーニングショー』だったと言われている。ご存じの通り、この番組は新型コロナウイルスに関するさまざまなデマを何の検証もせず放送し、人々の批判を浴びた。それは大抵、視聴者の恐怖を煽る内容であった。

「ウイルスは感染力が強く、致死率も高いうえ、政府は無策で検査も受けられなければ治療薬もない。全国各地でクラスターが発生していてこのままでは42万人が死ぬ。」

概ねこういった内容だったが、コメンテーターの玉川徹氏は内容を盛り過ぎて、たびたび事実誤認の発言をしてしまった。そのせいで何度か番組中に謝罪しているが、あまり反省はしていないようだ。これはもはや報道ではなくエンターテインメントだと言っていい。

戦前の新聞もまさにこれだった。蔣介石《しょうかいせき》や英米に対してより強硬な意見を言ったほうが新聞はよく売れた。朝日新聞は戦争を煽りまくって部数を伸ばしたことがよく知られている。そして、いったん読者をそちらの方向に煽ってしまうとなかなかその論調を引っ込めることは難しい。社会学で言うところのリスキーシフトという現象だ。

リスキーシフトとは、要するに「赤信号、みんなで渡れば怖くない」という社会心理現象をいう。慎重で理性的な行動ができる個人であっても、ひとたび集団となって極端な言動が注目されやすくなると状況が変化する。一番悲観的な状況認識、一番冒険的な解決策を言う人間がもてはやされ、周りの人々がリスクの高い意思決定に加担してしまうのだ。

私はこれを「悲観マウント」と名づけている。武漢肺炎のパンデミックが起こった当初、インフルエンザのリスクと比較しようものならこの「悲観マウント厨《ちゅう》」が大量に湧いてきたのは記憶に新しい。「未知のウイルスなんだからワクチンや治療薬のあるインフルエンザと比較するな」などとしたり顔で批判していた。しかし、ワクチンや治療薬のある季節性インフルエンザは、それらのない新型コロナウイルスよりも1シーズンで3倍の死者を出していたという現実がある。「悲観マウント厨」にはそういった数字によるコミュニケーションが不可能なのだ。

日本にも訪れていた革命前夜の危機

この大衆に共通する弱点をうまく利用したのがソ連のスパイだ。実は、新聞社の中にソ連や中国共産党のスパイが紛れ込んでいた。彼らは、日本をアメリカと戦わせ消耗させようとしていた。その筆頭が元朝日新聞記者で近衛首相の側近であった尾崎秀実《おざきほつみ》である。尾崎はゾルゲ事件に連座して捕らえられ、戦時中に処刑されている。ゾルゲはドイツ人だが、ソ連のスパイとして駐日ドイツ大使館に潜り込み情報収集の任に当たっていた。尾崎はその手下であり、正真正銘の工作員だった。

尾崎は支那事変を徹底的に拡大させ、日本を泥沼に引き込むような論説を新聞や月刊誌にたびたび寄稿している。大陸から撤退するのはかの地で散った英霊に申し訳が立たないとか、蔣介石を滅ぼしても永久にこの戦争を続けなければならないといった趣旨の論説だ。本当はソ連を祖国と呼ぶ社会主義者であるにもかかわらず、国粋主義者を偽装し、戦争を煽りまくったのだ。

私は小学校の先生から、社会主義者は戦争に反対したと聞かされていたが、どうもそれは大ウソだったようだ。彼らは革命を起こすために、日本に対米開戦という誤った選択をさせ、アメリカとの消耗戦に巻き込んで政府を転覆しようと画策していたのである。だからこそ、戦争が終わった直後の1947年2月1日に日本共産党とそれに連なる労働組合はゼネストを計画し、あわよくばそのまま日本政府を転覆し、権力を奪取しようと画策したのだ。

もし、マッカーサーが1月31日に中止命令を出さなかったら、日本に革命が起こり、二千年以上に渡って続いた日本の國體《こくたい》は潰えていたかもしれない。もちろん、この頃の日本共産党はソ連共産党の指導下にあったのは言うまでもない。この点については江崎道朗氏の『日本占領と「敗戦革命」の危機』（PHP新書）に詳しいので、興味がある人はぜひひそちらを読んでほしい。

翻って、アメリカ側にも日本を敵視するように世論誘導を仕掛けるグループがいた。同じく、ソ連のスパイである。このことはアメリカ国内のスパイとソ連本国の暗号通信を傍受し解読した記録（ヴェノナ文書）が1995年に公開されたことによって広く事実として知られるようになった。ルーズベルト大統領の側近であった、ロークリン・カリー、アルジャー・ヒス、財務次官補のハリー・デクスター・ホワイト、GHQに潜り込んだトマス・アーサー・ビッソンなど錚々たる面子がソ連のスパイだった。

戦前のアメリカも日本と同様に大恐慌によって経済的に困窮した人々がヤケを起こしやすい状況にあった。しかし、子どもたちを戦場に送らないと公約して当選したルーズベルトは度重なるイギリスの要請にもかかわらず、対独参戦をためらっていた。

しかし、一つだけ裏口から参戦する方法があった。ドイツと同盟を組んでいる日本に最初の一発を撃たせればいいのだ。そして、日本とドイツに挟撃される危険性のあったソ連のスターリンとしては、アメリカの対日参戦、対独参戦は好都合だった。日米に潜り込ませたスパイ網をフル稼働させて、互いの敵対心を煽りまくったのは言うまでもない。歴史教科書でもお馴染みの「ハルノート」の下書きは、ハリー・デクスター・ホワイトが書いたという事実からもこれは裏付けられるだろう。この点についても江崎道朗の別の著作である『コミンテルンの謀略と日本の敗戦』（PHP新書）に詳しいので、興味のある人はぜひご一読をおすすめしたい。

一見強面の全体主義国家にも弱点はある

さて、本章で取り上げたさまざまな事実についてもう一度まとめておこう。強権的な全体主義国家は自由で開かれた国を脅威と感じている。そして、それらをすべて滅ぼし自身のコントロール下に置くことによって達成されるのが彼らの定義する「平和」である。我々の言う平和とは似て非なるものだ。

彼らはこれまで「平和」を達成するためにありとあらゆる努力をしてきた。これは事実である。そして、日本はかつてその工作活動のせいで一度滅びかけたことがある。ところが、その事実は歴史教育では隠蔽され存在しなかったことになっている。それはなぜか？

彼らは再び日本を滅ぼそうとしているのだ。それだけ日本の平和で自由な世の中が彼等にとっては目障りなのだ。いや、目障りどころではない。下手をすると日本のせいで国が滅びてしまうかもしれない。

例えば、靖国問題は中国共産党にとって命取りになり得る。1985年に中曽根首相が靖国神社を参拝するまで、中国共産党は戦後40年間一切文句を言ってこなかった。しかし、突然この年から靖国参拝を問題視するようになった。中曽根首相が大国の余裕を見せ、また当時中曽根氏とパイプの太かった胡耀邦《こようほう》氏のメンツを立てようと翌年から参拝を中止したことから、この問題は政治問題化した。いや、日本に文句を付けて内政干渉に成功したといったほうが正確だろう。とはいえ、この問題は日本よりも中国にとって深刻だ。なぜなら、もし日本の総理大臣が政治的リソースをすべて投じ、靖国神社を公式参拝したら何が起こるだろう？

日本の野党はそのことを批判し、下手をすると内閣総辞職か解散総選挙になる可能性はあるだろう。仮に選挙となった場合でも、他の経済政策などと合わせ技で与党が勝利するかもしれない。また仮に野党が勝利したとしても日本国憲法の秩序は変わらない。

ところが、中国共産党の場合はそうはいかない。民主的な選挙によって選ばれていない権力者はメンツがすべてだ。これまで抑え込んでいた靖国参拝を日本側にやられてしまったことで、権力者のメンツは大いに傷つく。暴力団は力によって民衆を抑え込んでいるため、その力がなくなったと見るや突如として民衆の抵抗が始まるのだ。

支那大陸の王朝の歴史を見れば、易姓革命によって成立した王朝が当初は独裁を続けるが、次第に腐敗し、最後は再び易姓革命によって倒されることを繰り返している。中国共産党は清朝から帝位を簒奪した王朝である。一度でも負ければ中華皇帝の威信は失墜し、各地で反乱が多発するリスクがある。だからこそ、日本の総理大臣が絶対に靖国神社を参拝しないように必死で抵抗しているわけだ。これは国際政治の問題に見えて、実は見えない戦争なのである。

次章ではこの見えない戦争についてさらに深く考察してみよう。

第2章

戦争でない戦争、戦場でない戦場

本章のタイトルは常識的に考えれば言語矛盾そのものだ。一般的に、戦争でない状態を平和という。ところが、最近はそうでもないらしい。旧来的な戦争の定義ではとらえきれない、「新しい戦争」が存在するからだ。その戦争は注意していなければ見えない。実に厄介なものだ。なぜ戦争がそんな複雑な形態をとるようになったのか？　その理由は戦争の歴史に深く関係している。まずはこの点から論じていこう。

殺戮《さつりく》から戦争へ〜戦いのルールを決めたウェストファリア条約

現在の「戦争」という概念は17世紀のヨーロッパで生まれた。その時、国際法で戦争というものが定義されたからだ。なぜ戦争を定義する必要があったのか？　その理由をひと言で言えば宗教戦争という泥沼の戦いを終わらせるためだ。

１６１８年、後の神聖ローマ皇帝フェルディナント２世がカトリック以外の宗教を認めない方針を示したことに対し、ベーメン（現在のチェコ）の新教徒が反乱を起こした。これをきっかけにカトリック諸侯の「同盟」（リガ）と、プロテスタント諸侯の「連合」（ルター派とカルヴァン派の連合）が各地で対立し内乱は当時のドイツ全体に広がった。さらに、周辺諸国が介入したことで、この内乱は宗教戦争として全ヨーロッパに飛び火する。いわゆる三十年戦争という血みどろの戦いの始まりだ。

三十年戦争が規模壮大で、戦争の被害が当時としては、おそらくは今日から見てもなお、異常に大きかった、ということは改めて言うまでもない。ドイツ全体でその人口が三分の一あるいは四分の一にまで減少したといわれるのは、確かに驚異的である。また具体的な地域についてみても、例えば坂井教授の近著によると、ヴュルテンベルク国では、三四万人の人口が四万八千人つまり七分の一にまで減少している。これほど被害が大きかったのは、その被害が交戦者（軍人）だけでなく、一般の非交戦者（私人）すなわち市民や農民、老人や女性・子供さらに彼らの家、畑その他もろもろの財産にまで及んでいるからである。この時代には飛行機はもとより、それほど強力な火器があったわけではない。したがって、非交戦者の殺害は、爆撃等による結果としての匿名の殺害ではなく、交戦者による非交戦者の直接的殺害であり、それはまた兵士の直接的掠奪行為と深く関わっている。非交戦者を殺害したり、彼らから物を奪ったりするのは、言わば日常茶飯事であった。むろん、「近代」的戦争の下でも、非交戦者の直接的殺害や掠奪が全く見られないわけではない。しかし、それは原則として法的に禁止されており、あってもそれは例外的かつ不法な行為として厳しく非難されるのが通例である。しかし、三十年戦争期においては、非交戦者の殺害や掠奪、とくに後者はすぐれて一般的現象であり、戦争に付随する当然の出来事であった。

出典：「〈論説〉初期近代ヨーロッパにおける掠奪とその法理（1）」（山内進『成城法学』24号　1987）
(https://seijo.repo.nii.ac.jp/index.php?action=pages_view_main&active_action=repository_action_common_download&item_id=2470&item_no=1&attribute_id=18&file_no=1&page_id=13&block_id=17)

この戦争を日本人がイメージするには、漫画『ベルセルク』を読むといい。そこで描かれている架空の中世世界「ミッドランド」が私の知る限り一番三十年戦争のイメージに近いと思う。三十年戦争の問題点は、自分と異なる宗教を信じている相手は殺してもいいという宗教原理主義にある。この暗黙の前提は現在ではＩＳ（イスラム国）のような宗教原理主義テロリストしか持ち合わせていないと思われる。現代においては失敗国家の内戦でしか見られない殺戮を、当時のヨーロッパはほぼ全域でやっていたということだ。現在のシリアのような状況こそが三十年戦争の実態である。

この戦争に終止符を打ったのは１６４８年に締結されたウェストファリア条約だ。世界史の授業では、この条約が「主権国家体制の確立をもたらした」と習うが、本質はそこではない。この条約の最大の功績は、戦争のルールを画定し、戦争というものの概念を変えた事だ。ウェストファリア条約で決まった戦争のルールとは、概ね次のようなものである。

「主権国家は宣戦布告によって戦争を始め、第三国（非当事国）が主催する講和会議によって戦争を終える。」

ウェストファリア条約以降、戦争は主権国家によって宣戦布告がなされない限り違法となった。宣戦布告を伴わない戦いは戦争ではない。単なる「私戦」である。そして、それはこれ以降取り締まりの対象となった。もうこれで宗教や宗派が異なることを理由に、ある日突然誰かが戦争を始めることができなくなったのだ。

さらに、そんな戦争ですらない「私戦」を始めた当事者は主権国家によって鎮圧され処罰される。いつでもどこでも人を殺せる時代はついに終わった。前掲論説にもあった通り、「非交戦者の直接的殺害や掠奪」は「原則として法的に禁止されており、あってもそれは例外的かつ不法な行為として厳しく非難される」時代がやっとヨーロッパにも訪れたのだ。

このように戦争の概念を変化させることでヨーロッパ諸国は無秩序な戦争の発生を防ぐことができるようになった。なお、主権国家が宣戦布告をして始める戦争のことを「国権の発動たる戦争（War as a sovereign right of the nation）」という。そう、日本国憲法9条に書かれているあの「国権の発動たる戦争」と同じものだ。

ちなみに、日本はヨーロッパよりも随分進んでいたことを付記しておこう。ウェストファリア条約の58年前、日本では豊臣秀吉によって平和が実現していた。天下を統一した秀吉から惣無事令と言われる一連の命令が布告される。秀吉は大名間の領土紛争を禁じ、もしこれを破って戦争を始めた場合はこれを私戦と見做すとした。そして、天下静謐のため公儀が私戦の当事者に制裁を加えることを宣言したのだ。これ以降、関ヶ原の戦いを除き、日本国内で大きな戦争が３００年近く起きなかったことは特筆に値する。

二度の大戦を経て戦争から集団的安全保障体制へ

さて、話をヨーロッパに戻そう。主権国家が宣戦布告しない限り、その戦争は違法であるというルールは当初十分に機能した。ところが、それから200年以上の時を経て、ヨーロッパの諸侯が淘汰され、少数の巨大国家に統合されてくると話は違ってくる。巨大国家は桁違いの戦力を動員し、強力な兵器を使って戦争をするからだ。しかも、その巨大国家は同盟によって連携し、ひとたびどこかの国が戦争を始めると、全世界が同盟によって真っ二つに分かれて戦争を始めることになった。無秩序な戦争を避けるために作ったウェストファリア体制だったが、皮肉にも秩序ある大戦争を引き起こしてしまったのである。

さらに、20世紀に入ると国家のありとあらゆるリソースを戦争に投入する「総力戦」という概念が生まれた。第一次世界大戦でドイツ軍を指揮したルーデンドルフが、1935年に文字通り『総力戦』という本を書いたので有名だ。しかし、総力戦という概念そのものはルーデンドルフ以前から存在していたらしい。その起源は誰であれ、総力戦において戦争の攻撃対象は敵の軍隊に限定されなくなった。例えば、敵軍の弱体化を図るために、敵国の工業力そのものが攻撃対象となる。つまり、工業地帯に住む一般市民も攻撃のターゲットになってしまったわけだ。無秩序な殺し合いから、秩序ある総力戦へ。その結果、二度の世界大戦によってヨーロッパは壊滅的な打撃を受けた。特に二度目の大戦の時には、ヨーロッパに限らず、日本も中国も東南アジア諸国も、世界中の戦場となったありとあらゆる国が巻き込まれ、歴史上まれに見る桁違いの被害を出した。

戦争が終わると、全世界の人々の間で「もう戦争はやめよう」という機運が高まった。そこで、戦勝国が中心となって、再び戦争の定義を練り直すことにした。

そして、「第二次世界大戦が終わった時点で確定した国境線を武力によって変えてはならない」という新たなルールが決まった。今後は、宣戦布告の有無に関係なく、現状を武力で変更することは認められない。今までは合法だった「国権の発動たる戦争」は、この瞬間から全世界で違法になった。

また、このルールが単なる口約束では拘束力がない。そこで、もしこのルールを破ったら、全世界が違反した国を制裁することが併せて決まった。いわゆる集団的安全保障体制である。本来は国連がその中心になるはずだったが、結果的にアメリカを中心とする国際秩序がその役を担うことになった。

しかし、これだけではまだ不安だ。なぜなら、ある国が侵略された場合、いずれ国際秩序に基づく制裁は加えられるとしても、その手続きには時間がかかる。多国籍軍を編成している間にどんどん侵略が進み、国民が殺害されたり、国土が占領されたりしたら国際秩序に対する信頼はガタ落ちだ。

だから、侵略を受けた国は、国際秩序が助けに来るまでの間は自国の軍隊によって持ちこたえることもルール上ありとされた。また、自国が戦場になっていない場合、その軍隊を国際秩序による制裁活動に参加させることも推奨されている。世界各国はルール違反を取り締まるために応分の負担をする。これこそが第二次大戦後に生まれた新しい世界秩序である。ウェストファリア体制はここに終焉した。

新しい世界秩序に則っている憲法９条

なお、新しい世界秩序において世界各国の軍隊は「戦力（War Potential）」を持たないことになっている。「戦力（War Potential）」とは、古い時代の「国権の発動たる戦争」をするための力を指す。この点を理解した上で、あることに気づいてほしい。この新しい戦争のルールが何かにとてもよく似ていることに。

そう、これは日本国憲法第9条に書いてあることそのものなのだ。東京外国語大学教授で国際政治学者の篠田英朗氏によれば、日本国憲法はその成立過程で国連憲章をはじめとする国際秩序と調和するように作られたそうだ。では、確認のために憲法9条の条文をよく読んでみよう。

日本国憲法

第9条　日本国民は、正義と秩序を基調とする国際平和を誠実に希求し、国権の発動たる戦争と、武力による威嚇又は武力の行使は、国際紛争を解決する手段としては、永久にこれを放棄する。

○2　前項の目的を達するため、陸海空軍その他の戦力は、これを保持しない。国の交戦権は、これを認めない。

「正義と秩序を基調とする国際平和」とはまさに第二次大戦後に決まった戦争禁止のルールとそれを履行させるための枠組み（＝アメリカを中心とする国際秩序）を指している。そして、宣戦布告さえすれば合法という「国権の発動たる戦争」は明確に禁止された。さらに、「国権の発動たる戦争」をするための能力である「戦力（War Potential）」も持たないこととされている。

ちなみに、第1項で「国権の発動たる戦争」をしないと宣言しているのだから、わざわざ第2項で「戦力（War Potential）」を持たないと書かなくてもよさそうなものだが、なぜ敢えてダメ押しのような書き方をしているのだろうか？　このダメ押しの第2項がわざわざ挿入された背景を理解するには、この憲法が制定されるつい数年前までの状況を思い出す必要がある。

日本国憲法が制定される数年前まで日本は国権の発動たる戦争を仕掛けた当事国であった。さらに、1945年の8月15日の玉音放送まで、「本土決戦！」「一億玉砕！」と頑張っていた国だった。そんな国が、二度と国際秩序を破らないことを全世界に信じてもらうにはこれぐらいダメ押しする必要があったのだ。そして、日本は戦後75年間この約束を一貫して守った。だからこそ、一部の特定アジアの国を除き、日本は世界から尊敬されるようになったのだ。

国際秩序は世界各国が応分の負担をすることで実現する。だが、日本が敗戦のどん底から立ち直るまでの間は、自国の事に精一杯で大した貢献ができなかった。しかし、高度経済成長を経て世界第二位の経済大国となったからには、国際秩序を他人任せにしていいはずがない。ＰＫＯへの自衛隊派遣、湾岸戦争、イラク戦争への協力、そして２０１５年の安保法制による日米同盟の強化は国際秩序への応分の負担と貢献である。日本が再び外国を侵略しようとしているなどと左派メディアや一部の野党は批判するが、それは極めて的外れだ。そもそも、戦後の新しいルールでは国際秩序を乱す国に制裁を加えるため、各国が軍隊を持つことが許されているではないか。この点から考えても、自衛隊は発足時点から一貫して合憲なのだ。

現在、アメリカを中心とした国際秩序が形成されているのは動かしがたい事実だ。そして、日米安保条約は戦後のアジア太平洋地域の国際秩序を守るために極めて重要な役割を果たしてきた。むしろ、この国際秩序に挑戦し続けているのが中国、ロシア、北朝鮮などの全体主義国家である。しかし、これらの国々がいくら挑戦したところで国際秩序は揺らがなかった。賛否両論はあるが、アメリカを中心とする国際秩序が形成されて以降、第三次世界大戦は回避されているではないか。

ホットウォーからコールドウォーへ、代理戦争から下請け戦争へ

もちろん、この点についてはもう少し踏み込んで説明する必要がある。確かに、ホットウォーという点では、朝鮮戦争、ベトナム戦争、ソ連によるアフガン侵攻など戦争が起こったことは否定しない。しかし、それが米ソの二大超大国による全面戦争に至ることはなかった。戦争はあくまでも、両陣営に属する別の国どうしが戦う代理戦争であり、それ以上にはエスカレートしなかった。

では、なぜ代理戦争は米ソおよびその同盟国を巻き込んだ世界大戦にまでエスカレートしなかったのか？　その理由は、国際秩序という枠組みに加えて、核兵器の存在が大きい。この点について詳しく説明しよう。

仮に、2つの核保有国があったとする。この2か国の間で戦争が勃発し、どちらか片方が相手国に対して核兵器を使ったとしよう。相手国は間違いなく全滅するだろう。しかし、この最初の核による一撃で相手国の核兵器をすべて破壊しきれなかった場合、生

き残った相手国の核兵器によって自国は反撃されることになる。そして、結果的に自国も核兵器によって全滅してしまう。

核ミサイルは潜水艦に搭載して広い海の中に隠してあるので、これらをすべて発見するのは不可能だ。必ず撃ち漏らしが出る。ということは、先制核攻撃すればほぼ確実に相手は核兵器で反撃してくる。自分が撃てば、必ず相手も撃ってきて共倒れ。それがわかっているので最初の一発は撃たないし、撃てない。これが相互確証破壊（ＭＡＤ）と呼ばれる戦争抑止の理論だ。

１９４９年にソ連が原爆の開発に成功したことによって、米ソ間には相互確証破壊（ＭＡＤ）による核抑止が成立した。そのため、あらゆる戦争は全面戦争のかなり手前で抑止されることになった。なぜなら、全面戦争までエスカレートしてしまうと、どちらか片方が核兵器を使う可能性があるからだ。左翼はこれを恐怖による均衡だと批判した。しかし、何による均衡であろうと世界大戦を抑止したことはいいことだ。

１９９１年にソ連が崩壊して米ソ冷戦が終結すると、もはや歴史は終焉し、アメリカの一人勝ち、自由主義世界が世界のチャンピオンになったと思われた。人々は核抑止という恐怖の均衡から解放され、本当の平和が訪れると錯覚した。

ところが、現実は厳しかった。ソ連がロシアになっても核兵器は手放さなかったし、中国が核軍拡を推進し、さらにインド、パキスタン、北朝鮮までもが核兵器を保有するようになった。恐怖の均衡は終わらなかったのだ。

そして、国家と国家による戦争が減少する一方で、国家ならざる勢力による戦争が世界中で勃発した。今でも進行中のシリア内戦こそがまさにその典型例だ。これこそが、現代的な意味での新しい戦争の最先端かもしれない。

とにかく、シリアの戦争は見えにくい。多くの日本人は2018年にISを掃討して戦いは終わったと勘違いしているのではないか？　ところが、直近では以下のような大規模な戦闘が報告されている。

シリア北西部のイドリブ県で（2020年…筆者注）10月26日、ロシア軍が大規模爆撃を実施し、反体制派78人が死亡、90人以上が負傷した。

爆撃が行われたのは、トルコ国境に近いカフルタハーリーム町近郊のドゥワイラ山。ロシア、トルコ、イランが2017年5月のアスタナ4会議で「緊張緩和地帯」(de-escalation zone) の第1ゾーンに指定し、同年9月のアスタナ6会議でさらに第1ゾーン第3地区に指定した地域だ。

アレッポ市とラタキア市を結ぶM4高速道路以北に設定された第1ゾーン第3地区は、トルコのイニシアチブのもとに、反体制派を「テロリスト」と「合法的な反体制派」に峻別し、前者を撲滅、後者とシリア政府を停戦させることとなっていた。

この規定に従うのなら、今回のロシア軍の爆撃は、アスタナ6会議への違反とみなすこともできる。

なお、緊張緩和地帯第1ゾーンのそれ以外の地区は、ロシアのイニシアチブのもと「テロとの戦い」と停戦が推し進められる第1地区、ロシアとトルコが合同で「テロとの戦い」と停戦を推し進めるとした第2地区からなっている。

第1地区は2018年初めにシリア政府によって制圧されている。

第2地区をめぐっては、2020年2月から3月にかけてシリア・ロシア軍とトルコ軍・反体制派による大規模戦闘の末に、南側をシリア政府が奪還した。それ以外の地域については3月5日のロシアとトルコの合意に基づいて停戦が発効した。この停戦合意では、M4高速道路の安全を確保することが定められ、トルコ軍が展開、ロシア軍とともに合同パトロールを実施している。それ以外の地域、とりわけザーウィヤ山地方では、シリア軍と反体制派が散発的な戦闘を続けている。

(https://news.yahoo.co.jp/byline/aoyamahiroyuki/20201027-00204939/)

実は、2020年に入ってからもシリアの戦場では戦いが続いていた。この記事にある通り、2月から3月にかけてはシリア・ロシア連合軍とトルコ・シリア反体制派の連合軍が入り乱れて戦う危険な状態だった。

そして、この戦いは2020年12月現在も未だに続いている。とにかく状況が複雑だ。シリア政府軍が戦っている相手はあくまでもテロリスト＝反政府勢力であってトルコ軍ではない。トルコ軍はシリアの反体制派勢力を後方から支援しているに過ぎない。そして、ロシア軍もシリア政府のテロとの戦いを支援しているだけでトルコ軍と戦争しているわけではない。しかも、シリア側にはロシアの民間軍事会社から派遣された傭兵が多数加勢している。彼らは建前上民間人であり、仮に戦死したとしてもそれは仕事上の事故だ。ロシア軍人として戦死した場合にもらえる勲章や年金の対象外である。ところがロシアではそんな危険な傭兵という仕事に応募が殺到しているらしい。クリミア併合以降のアメリカによる経済制裁と原油価格低迷でロシアの経済状態が最悪だからだ。

逆に、シリア反体制派とはシリアから追い出されたアル＝カイーダやＩＳの残党を含む外人部隊である。トルコはシリアから逃げてくる難民を武装させて傭兵のように使っている。実は、トルコ国境に近いシリア領内にはトルコ語を話すトルコ人が沢山暮らしている。トルコ政府は彼らの住むエリアを自分たちの縄張りと考えており、そのコントロールをアサド政権やクルド人に奪われることを認めていない。しかし、彼らを守るにはトルコ軍をシリアに進駐させる必要がある。そこで、２０１６年８月にＩＳ掃討に便乗し、それを大義名分にしてシリアに侵攻したのだ。そして、シリアの反体制派勢力の支配地域に監視所を設け、トルコ領内に逃げてきた難民に武器を持たせてこれらの地域に帰国させた。監視所を設けた地域を守るため、事実上の傭兵に仕立て上げたわけだ。

国際秩序の隙を突く争いが延々と続く

なぜこの戦争が見えにくいかご理解いただけただろうか？　この戦争は外注化されているのだ。正面で戦うのはロシアの傭兵と武装した難民である。ロシア軍はそれを空爆で支援しているにすぎない。また、時にトルコ軍も自爆ドローンなどで武装した難民を応援することもある。２月、３月の戦闘においてはこの建前がかなり曖昧になってしまったので非常に危険だった。だから３月５日には停戦合意がなされ、シリアとトルコ、ロシアとトルコが全面戦争にならないようにありとあらゆる努力がなされた次第である。

外注化された戦争は、自国民が死なないため、いつ果てるともなく続く。特にシリアのアサド政権にとって、国民の融和など眼中になく、自分に歯向かう反体制派は国民ではないとの認識だ。ハッキリ言って全員死ねばいいと思っているのではないだろうか。結果として、戦争が日常化し、戦争が続いているという意識すら希薄になっていく。そして何よりも問題なのは、この戦争が新しいルールの抜け道を突いているという点だ。

シリア政府軍が戦っている相手は国家ではない。また、シリア政府軍が勝っても負けても国境は変更されるわけではない。ロシア軍のシリアに対する支援は、航空支援など建前上は限定的だ。しかし、実際には地上軍にも多数のロシア人が民間軍事会社の社員として入り込んでいる。２０１８年２月に米軍がデリゾールという町のシリア政府軍を空爆した際、なぜかロシア人の死者が１００人以上出た。これこそが傭兵の存在の証明だ。しかし、彼らはあくまでも民間人であり、ロシア軍人ではない。ロシア政府もこの件でアメリカを非難することはない。外注業者が勝手にやったことだからだ。

シリアで行われている戦争は戦闘を伴う本格的な戦争ではあるが、新しい戦争のルールを巧みに回避するように設計されている。そのため、国際秩序が発動して、湾岸戦争の時のように多国籍軍がやって来る可能性は低い。また、多国籍軍の介入を招かないため、アサド政権はＩＳのようにド派手に国際秩序に挑戦するような真似はしない。

そして、国際秩序の介入がないのをいいことに、毒ガスやクラスター焼夷弾など残虐な兵器を使いまくって、見せしめに反対派の拠点を徹底的に潰すのだ。そのやり方があまりに酷いため、時としてアメリカの軍事制裁を食らうが、アサドがそんなことにへこたれることはない。彼は新しい戦争のルールを熟知しており、絶対に虎の尾を踏まないように振る舞っているのだ。

これは大変恐ろしい話だ。なぜなら、リアルな戦争（ホットウォー）ですら、国際的な戦争のルールを巧みに回避することで、国際秩序の制裁を免れて何年も続けることができる。況《いわん》や、見えない戦争においてをや。

陸海空という目に付きやすいドメインではなく、サイバー空間、電磁パルス層、宇宙、輿論《よろん》、法律、心理、経済、歴史、科学技術といった目に見えない領域で戦争を遂行した場合、これを検知することは大変難しい。まして、これが新しい戦争のルールに抵触するかどうかは極めて微妙な問題だ。そして、この見えない戦争を最も得意とするのが中国の人民解放軍なのである。

新しい戦争のかたち「超限戦」

１９９９年、中国人民解放軍の２人の大佐（喬良と王湘穂）がある論文を発表した。この論文は軍の公式文書ではない。しかし、その論文の中で展開された「超限戦」というコンセプトこそが「戦争でない戦争、戦場でない戦場」の本質を語っている。しかも、中国人民解放軍はこの非公式論文に従って、新しい戦争の準備をしてきた。いや、その一部は既に実行に移されている。まずはこの論文から重要な部分を引用しよう。

事物が互いに区別される前提には、限界の存在がある。万物が相互依存している世界では、限界は相対的な意味しか持たない。いわゆる超限とは、すべての限界と称される、あるいは限界として理解されるものを超えることを指すのである。たとえそれが物質、精神、あるいは技術に属するものであろうと、また、それが「限度」、「限定」、

「制限」、「境界」、「規則」、「定律」、「極限」さらに「禁忌」などと呼ばれようとだ。
戦争について言うならば、それは戦場と非戦場の境界、兵器と非兵器の境界、軍人と非軍人の境界、国家と非国家あるいは超国家の境界かもしれないし、また、技術、科学、理論、心理、倫理、伝統、習慣などなどの境界を含むかもしれない。総じて言えば、それは戦争を特定の範囲内に限定するすべての境界である。（中略）

例えば、敵国に全く気づかれない状況下で、攻撃する側が大量の資金を秘密裏に集め、相手の金融市場を奇襲して、金融危機を起こした後、相手のコンピューターシステムに事前に潜ませておいたウイルスとハッカーの分隊が同時に敵のネットワークに攻撃を仕掛け、民間の電力網や交通管制網、金融取引ネット、電気通信網、マスメディア・ネットワークを全面的な麻痺状態に陥れ、社会の恐慌、街頭の騒乱、政府の危機を誘発させる。そして最後に大軍が国境を乗り越え、軍事手段の運用を逐次エスカレートさせて、敵に城下の盟の調印を迫る。

出典：『超限戦　21世紀の「新しい戦争」』（喬良、王湘穂著　角川新書）

なんと！　新しい戦争のルールの抜け道になりそうなエッセンスがすべて入っている

ではないか！　これほど重要な論文は国家機密に違いないと思ったら、日本語に翻訳されて角川新書から出版されていた（初訳は共同通信社より２００１年に出版）。公式文書ではないからこその雑な扱いなのか、それとも大量に出版される書籍に混ぜることで却ってうまく隠せると思ったのか。真相は謎だ。

さて、この引用文で超限戦のコンセプトがおわかりいただけただろうか？　わかりやすく喩えれば、超限戦とは漫画『北斗の拳』に登場する悪役の一人、ジャギ（主人公ケンシロウの義兄）である。ジャギの最も有名なセリフを思い出してほしい。

「バカめ！　勝てばいいんだ、何を使おうが勝ち残りゃあな!!」

まさにこれが超限戦の発想だ。ジャギはケンシロウと同じ師匠から教えを受けた拳法家であるにもかかわらず、含み針、ショットガン、ガソリン、ダイナマイトなどありとあらゆる手段を用いてケンシロウを殺そうとした。ジャギの暴力は拳法という手段にとどまらない。利用可能なあらゆる手段が動員されていたわけだ。そこには拳法家としての矜持もなければ、越えてはならない一線も存在しない。ただひたすら、自分を打ちのめした義弟に復讐するために何でもするのだ。もちろん、勧善懲悪の世界観で創作された漫画において、こういう悪役は悲惨な最期を遂げる。ジャギはケンシロウの怒拳四連弾を食らい死んだ。しかし、実際の世界において、全体主義国家はジャギのように簡単には死んでくれない。そして、必ずしも勧善懲悪が実現するとは限らない。

全体主義国家は基本的にジャギと価値観を共にする。例えば、陸上自衛隊元東部方面総監の渡部悦和氏は次のように解説する。

中国の現代戦で重要なのは情報戦です。

通常の民主主義国家の情報戦は、主として軍事作戦に必要な情報活動を意味します。しかし、中国では情報戦を広い概念としてとらえていて、ＰＬＡの軍事作戦に寄与する情報活動のみならず、２０１６年の米国大統領選挙以来有名になった政治戦、影響工作、三戦（輿論戦、法律戦、心理戦）、謀略戦、プロパガンダ戦などをすべて含むものだと理解してください。

そして、ＰＬＡにおいては情報戦が現代戦の最も基本となる戦いになります。情報戦を基本として、宇宙戦、サイバー戦、電磁波戦などがあります。

出典：『現代戦争論―超「超限戦」これが21世紀の戦いだ』（渡部悦和・佐々木孝博共著　ワニブックスPLUS新書）Ｐ97　※ＰＬＡ……人民解放軍の略称

渡部氏によれば、人民解放軍は通常の戦闘部隊とは別に戦略支援部隊を持ち、平時から常に情報収集に当たっているという。特に彼等が得意とするのはサイバー攻撃だ。これにミサイルやロケット弾などの物理的な攻撃手段を組み合わせることで戦争の目的を達成する。人民解放軍は戦闘部隊と戦略支援部隊が一体となってありとあらゆるドメインを攻撃できるように最適化されているそうだ。

平時からグレーゾーン事態、そして有事へと状況が変わっても、戦略支援部隊の仕事は変わらない。彼らは侵略成功の条件を作り出すために日夜サイバー攻撃を含むありとあらゆる攻撃を仕掛けているのだ。そのターゲットは日本、アメリカ、ヨーロッパのみならずほぼ全世界の国が対象だ。

この点で言うなら、戦争はもうとっくに始まっている。

西側諸国に仕掛けられている見えない戦争

例えば2018年12月20日、アメリカ司法省は、中国によるサイバー攻撃で、日本を含む12カ国が被害を受けたと発表している。日経新聞によれば「航空や自動車、金融機関など幅広い業界を対象に機密情報や先端技術を盗み出していた。(※1)」とのことだ。

また、2020年10月20日のBBCの報道によれば、ロシアの軍参謀本部情報総局(GRU)が、東京五輪・パラリンピックの関係者や関係団体に対して「サイバー偵察」を実行していたことがイギリス外務省の発表で判明している。

また、最近では新型コロナウイルス感染症のワクチンの開発情報を狙ったサイバー攻撃が世界中で発生しており、中国、ロシア、北朝鮮の関与が取りざたされている。ちなみに、中国のサイバー部隊の全容は不明だが、一説によれば10万人規模の大部隊が編成されていると聞く。これに対して自衛隊のサイバー部隊の要員は500人しかいない。一抹の不安がよぎる。

また、サイバー攻撃に限らず、人目に付きにくい新しい戦争はいたるところで起こっている。例えば、毎日新聞が中国政府と関係の深いチャイナ・デイリー社から広告費をもらって新聞に折り込んだいわゆる「ペイドパブ」と呼ばれる記事広告がある。この広告（「チャイナウォッチ」という記事風の広告）には強制収容所や違法な臓器狩りなど深刻な人権問題が発生している新疆ウイグル自治区について、「ウィンタースポーツが盛ん」とし、２０２２年の冬季オリンピック北京大会までにスイスや北海道に並ぶ冬の観光地にする計画があると紹介していた。人権問題から目をそらすためのあからさまな影響力工作であるが、これが中国共産党の仕掛ける輿論戦だと気づいた人はほとんどいなかっただろう。

英ガーディアン誌が２０１８年12月7日に報じたところによれば、チャイナ・デイリー社は中国共産党の意向を受けて「借り船戦略（Borrowed boats strategy）」という影響力工作を実施している。他国の報道機関を船に見立て、乗船料（広告費）を払って自国の主張（プロパガンダ）を乗船させるわけだ。チャイナ・デイリー社は、アメリカ、ヨーロッパ、オーストラリア、そして日本のマスコミ30社以上と契約し、「チャイナウォッチ」というペイドパブ（記事広告）を掲載している。アメリカでは、ニューヨーク・タイムズ、ウォールストリート・ジャーナル、ワシントン・ポストなどが6紙、日本では先ほど述べた通り毎日新聞がターゲットだ。

下の図は、世界各国のターゲットとなったマスコミ各社とその読者数をまとめたものだ。

なお、この図では毎日新聞が660万部発行されていることになっているが、これは飽くまで押紙も含めた自称である。毎日新聞の押紙訴訟において販売店は押紙率を5割～7割と告発しており、実際の有料購読者数は300万部以下であると推察される。

この他にも、とっくに終わったはずの戦時賠償を蒸し返す動きの中にも輿論戦、法律戦が見え隠れする。中国で始まった戦時

チャイナウォッチの記事広告を掲載している主な新聞社

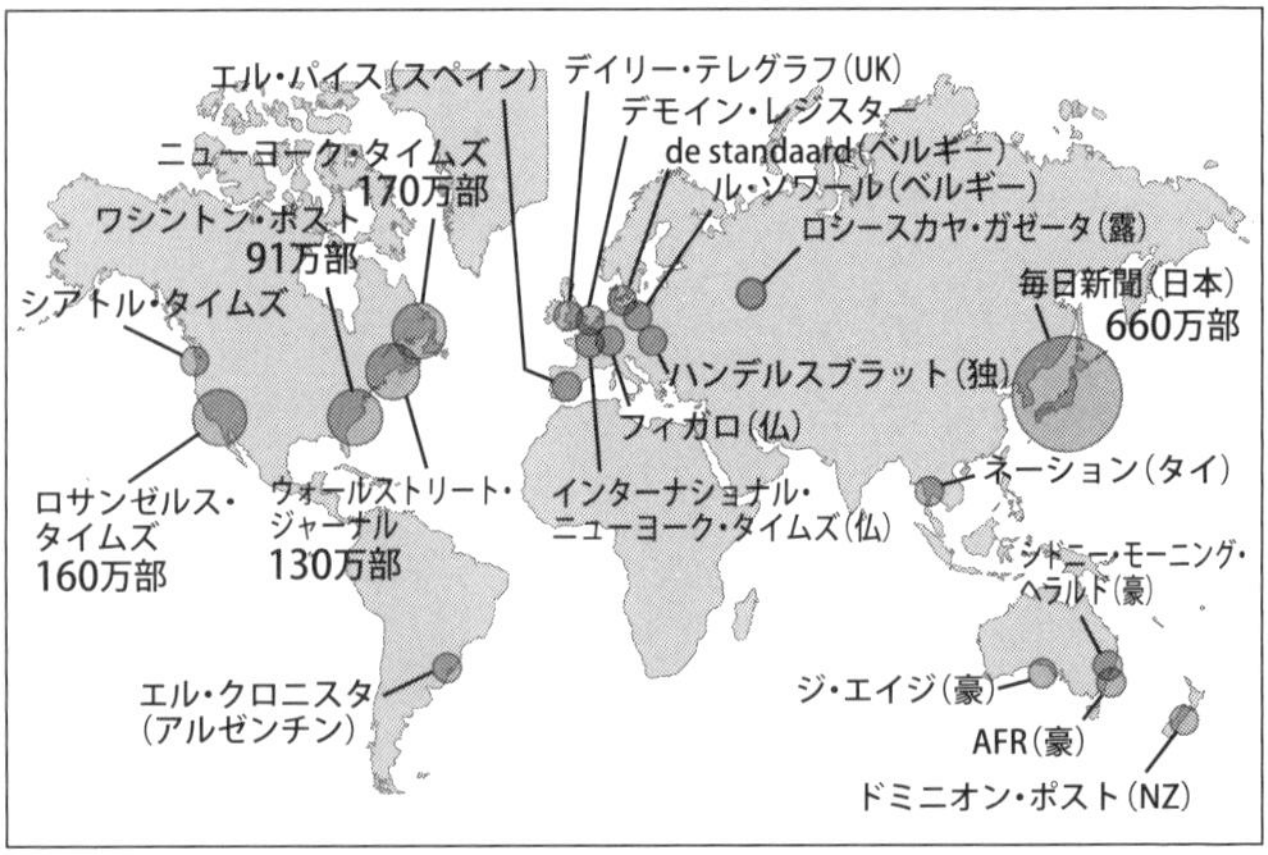

https://www.theguardian.com/news/2018/dec/07/china-plan-for-global-media-dominance-propaganda-xi-jinping をもとに作成

徴用工の賠償問題はいま韓国にまで飛び火し、日米韓の同盟関係に楔を打つための道具にされている。またオーストラリアでは、経済を人質にとった中国による恫喝事件がたびたび起こっている。例えば、序章で取り上げたアフガニスタンの民間人殺害問題に関するフェイク写真事件では次のような動きがあった。

中国商務省は（2020年12月……筆者注）3日、オーストラリアから輸入するワインに対して科した暫定的な反ダンピング措置について、最長4カ月維持する方針を示した。特別な事情の下では、9カ月に延長する可能性があるとしている。

商務省報道官は、オンラインで開いた記者会見で、豪産ワインに対する最終的な反ダンピング措置は法律にのっとって設定する、と強調した。ただ、何が特別な事情に当たるのか、具体的な説明はなかった。

（https://jp.reuters.com/article/china-australia-wine-idJPKBN28D0ZO）

この措置により、オーストラリア産ワインに関して107・1―212・1％のダンピング保証金が課せられた。ワイン業者にとっては死活問題だ。なぜ、SNS上のフェイク写真に対する豪中政府間の非難合戦の責任を民間業者が取らねばならないのか？

これらも超限戦の一種だと考えていいだろう。まさに政府vs政府の戦いを有利に運ぶために、中国共産党は「江戸の敵を長崎で討つ」ようなクセ球を投げてきたということだ。

大変残念なことに、これらの事件はテレビや新聞で大きく扱われることはない。そのため、日本人の危機意識は低く、迫りくる脅威に気付かない人がほとんどだ。もうすでに戦争は始まっているというのに……。

さらに困りものなのは、日本で行われている形ばかりの平和教育だ。日本の平和教育においては、悲惨な戦争体験談を子どもに聞かせ、子どもの心にトラウマを刻むことに力点が置かれている。しかも、なぜ戦争が起こったのかという原因分析はまったく行われない。敢えて言えば、ある日突然軍部という悪い人が国民を脅して戦争に導いたという趣旨の極めて雑な説明が行われている。普段は穏健な人々が突然「戦争しろ！」と騒ぎだす理由は経済失政にある。この点を抜きにして平和教育などあり得ない。

古い戦争の概念に囚われている野党・マスコミの問題点

これに加えて、日本の平和教育にはもう一つ大きな問題がある。それが、本章でここまで述べてきた戦争という概念の変化だ。ハッキリ言って学校で教える戦争の概念は古い。第二次大戦、せいぜいベトナム戦争ぐらいのところで戦争に関する知識のアップデートが止まっている。

今は宣戦布告しようが何だろうが、現状の国境線を武力で変更しようとする行為は全面的に違法であり、禁止されている。だから、少なくとも日本が国際秩序の側に居続ければ、平和教育が想定するような古い戦争は回避される。実際に日本は75年間それを実践してきて、「国権の発動たる戦争」は一度も起こっていないではないか。なぜ平和教育においては、第二次大戦以降の平和を実現する仕組み、新しい戦争のルールをしっかり教えないのか謎である。

さらに付け加えれば、徴兵された素人が戦場で鉄砲を撃ち合う古いタイプの戦いなど、一体いつの時代のことだろうか？　ハイテク兵器で武装され、平時からサイバー攻撃にも対処しなければならない現代の軍隊は、徴兵された素人には務まらない。プロとプロが戦場で向き合うのが今の戦争なのだ。戦争の概念を誤解させる点で今の平和教育は大いに問題があると言える。むしろ、現在行われている戦争を国民が誤解し、却って戦争のリスクを高める可能性すらあると思う。

大変嘆かわしいことに、共産党、立憲民主党、社民党などの野党およびマスコミもその頭の中は学校の平和教育止まりだ。２０１５年の安保法制反対運動の際に社民党が作成したポスターを見れば、彼らが「素人が戦場で鉄砲を撃ち合う古いタイプの戦い」しか想定していなかったことは明白だ。

召集令状で父親が戦地に赴くとでも思っているのだろうか？　もし一般市民が戦争に駆り出されるとしたら、おそらく本土決戦ぐらいしかないだろう。それほど他国を脅威に感じているなら、安保法制についてもっと強化する方向で議論すべきではなかっただろうか？

もちろん、今の日本がそういう古いタイプの戦争に巻き込まれる可能性はゼロではない。日本が無防備で全く反撃力がなければ、日本の周辺にある全体主義国家は日本に侵略してくるかもしれない。むしろ、社民党が唱える非武装中立のほうがよほど危ない。

社民党作成の安保法制に反対するポスター

いま、日本が古い意味での戦争に巻き込まれない理由は簡単だ。周辺にある全体主義国家は、日本には十分な反撃力があると思っている。具体的には、日米同盟の存在だ。島国である日本を攻めるには海を越えなくてはならない。しかし、その海には世界最強のアメリカ海軍と海上自衛隊の連合軍がいる。彼らに反撃されたらひとたまりもない。だから、第二次大戦以降、正面切って日本を攻撃してくる国はなかった。

あの朝鮮戦争の時ですら、アメリカ主体の国連軍の兵站《へいたん》基地である日本を直接攻撃してくる国はなかったのだ。もし日本を攻撃したら、朝鮮半島に限定された局地戦が核兵器の使用も伴う大戦争に発展していた可能性があった。だから、当時のソ連も中国もそれを望まず、九州地方にたびたび空襲警報は鳴らされたらしいが一度も爆撃されることはなかった。反対に、アメリカも戦争が無限にエスカレートすることを恐れて、中国国内に攻め込まなかった。北朝鮮の兵站基地である中国の旧満洲地域を核攻撃して殲滅すべきだと進言したマッカーサーが司令官を解任されたのも同じ理由によるものだ。

しかし、朝鮮戦争を巡っては歴史教科書ではスルーされている大事な事実がある。古い意味での戦争ではなく、新しい意味での戦争が日本に対して仕掛けられていたという事実だ。読者の皆さんは朝鮮戦争の際に日本に対して行使された軍事力があることをご存じだろうか。それは正規軍によるものではない。左翼用語でいうところの第五列、敵対勢力に紛れ込んで諜報活動や破壊活動を行う秘密部隊によるものだ。
朝鮮戦争においてその役を引き受けたのは日本共産党である。元委員長の不破哲三氏は『赤旗』で次のように証言している。

日本共産党の「50年問題」――朝鮮戦争の後方攪乱が狙いだった

石川　朝鮮戦争は現代の国際政治にも深い爪痕を残しています。これを謀略としてしかけたスターリンの行為は許しがたいものですね。日本共産党への干渉も、この「第二戦線」戦略の一環だったのですね。

不破　「50年問題」は、党の分裂という大きな苦難をもたらしたものですが、その経緯も、この流れのなかで見る必要があります。

日本に対しては49年10月に、日本共産党の幹部だった野坂参三について、野坂とはどういう人物かの調査報告書が東京からモスクワに送られています。これは野坂を利用するための予備調査でした。そのころから干渉作戦に手を打ち始めていたのですね。

スターリン主導だった武装闘争押しつけ

山口　49年11月に北京で開かれたアジア・大洋州労働組合代表者会議では劉少奇が開会演説し、アジアの共産党に中国式の武装闘争をやれと呼びかけます。武装闘争押しつけは中国主導だと思われていましたが、実は、これもスターリン主導だったんですね。劉少奇はスターリンに、そうした方針は革命勢力に重大な打撃をもたらすと異論を唱えていた。その手紙の全文を翻訳し、検証したのも今回の研究が日本で初めてだと思います。

不破　その真相は、２００６年の北京訪問の際に買った文献で分かったのでした。結局、この会議は、舞台は中国でも、内容はスターリン主導だったわけです。しかも、アジア・大洋州全体に呼びかける体裁でありながら、狙いは朝鮮戦争であり、その戦争を支援させる日本だったのです。

山口　コミンフォルムによる日本共産党批判（１９５０年１月７日）は、アジア労組会議の２カ月後でしたね。

不破　この論評には、武装闘争の呼びかけは一言もありませんでしたが、日本の党中央が統一した見解を持てず受け入れないのを見て、中国共産党が受け入れを勧告する論説を機関紙で発表しました。この論説には武装闘争の呼びかけが含まれていました。

あの時期に資本主義国の共産党でスターリンから武装闘争を押しつけられたのは日本共産党だけです。日本は朝鮮戦争の米軍の後方基地だから、そこで攪乱（かくらん）活動をやれば戦争に有利に働くという判断でやられた作戦でした。

(https://www.jcp.or.jp/akahata/aik16/2016-04-05/2016040509_01_0.html)

戦後75年、本当に日本は平和だったのか？

朝鮮戦争が勃発すると、ほどなくして日本共産党の傘下には「山村工作隊」や「中核自衛隊」などの秘密軍事組織が作られた。そして、この組織が１９５１年ごろから全国でテロ活動を行った。具体的には列車を暴走させる、交番をダイナマイトや火炎瓶で襲撃する、警官を殺害する、爆発物や毒ガスの作り方を記したチラシなどを配布し暴力を煽るなどだ。まさに日本共産党は危険なテロ団体だったのだ。引用した『赤旗』の記事において、不破氏は「あれはスターリンに押し付けられたことだ」と他人事のように語るが、本当にそうだろうか？　未だに日本共産党が公安の監視対象団体である理由はこの消せない黒歴史にあると言っていいだろう。

日本共産党のこの工作活動は、あくまでも朝鮮戦争という「正面」を「裏」から支えるための戦争だ。そして、そのやり方も暴力を前面に出したものであり、非常に目立つ上に荒っぽい。そのため、日本共産党は1952年の総選挙で立候補者が全員落選するという審判を受けた。当たり前だ。

しかし、日本の歴史教科書からはこの事実が抜け落ちている。確かに、戦後75年間日本が平和だったのは事実かもしれない。しかし、その平和とはウェストファリア体制における〝戦争ではない状態〟を指す、古い時代に定義された平和のことだ。

本章で見てきた通り、戦争は進化し、その定義は変わった。それと同時に平和の定義も変わった。現代的な意味における戦争ということなら、1951年から日本共産党が行ったゲリラ活動も立派な戦争だし、その後、1960年の安保闘争から始まる過激な学生運動も戦争だ。そして、いまリアルタイムに進行する見えないドメインにおける攻撃も立派な戦争である。

日本共産党のゲリラ部隊と違って、サイバー攻撃、輿論戦、法律戦、心理戦は目に見えない。しかし、やっていることはゲリラ部隊と変わらない。国際秩序が定義する戦争のルールの抜け道を突く形で、これらの戦争は今でも進行中なのだ。人民解放軍は今から21年前にそれを「超限戦」と名づけ、それに最適化するように戦力を充実させてきた。そしてアメリカをはじめとする自由主義世界は、最近やっとその存在に気づき始めた。

とはいえ、「ゲリラは発見されたら終わり」という戦場格言がある。インテリジェンスの世界におけるさまざまな研究の成果によって、いま中国共産党の仕込んだゲリラは多方面で発見されつつある。ファーウェイの5G基地局も、千人計画も、債務の罠を使った新植民地主義もその手口は白日の下に晒された。全世界が超限戦という卑劣な戦争の手口を監視し、これに制裁を加えていけば状況は変わってくるかもしれない。

天国へ至るためには、地獄への道を知り、それを避けることが重要だという。次章では世界中で実行に移された新しい戦争を具体的なケースを使って解説する。

※1　https://www.nikkei.com/article/DGXMZO39229080R21C18A2000000/
※2　https://www.bbc.com/japanese/54610569

第3章

戦争のドメイン（領域）

新たな領域で繰り広げられる「進化した戦争」

前章でも説明した通り、現代の戦争はありとあらゆる領域（ドメイン）で展開されている。それはかつてのように陸海空に限定されることはない。例えば、サイバー空間、テレビ電波、国際司法裁判所、本屋の店先から私たちの意識（＝脳内）といった目に見えない領域にまでそれは及んでいる。

人民解放軍が得意とするサイバー攻撃はまさにその目に見えないドメインを使った戦争行為だ。さらに、彼等が推し進める三戦（輿論《よろん》戦、心理戦、法律戦）は脳内（認知）をドメインとした戦争だと言えよう。１９９９年の超限戦論文以降、人民解放軍はこういった能力を強化してきた。

伝統的な戦争のドメインを避け、ある種の搦《から》め手として別のドメインで優位を保つことは、言ってみれば弱者の戦術だ。人民解放軍は、陸海空における正規軍同士の戦いではアメリカ軍に絶対勝てないことを十分すぎるぐらい承知している。その圧倒的な戦力差を埋め合わせるために軍備を増強しているのは事実だが、それだけでは追いつかない。

そこで、この搦め手戦略が考え出された。

例えば、サイバー戦でアメリカ軍に圧倒的に優位に立てれば、ＧＰＳを妨害したり、通信障害を生じさせたりして、アメリカ軍がまともに動けない状況を作り出すことができる。世界最強のアメリカ軍であっても、そのような大規模なシステム障害の下では大幅にダウンだ。その虚を突いてミサイルによる飽和攻撃を行い、短期間に大打撃を与えれば、その後の外交交渉を有利に運ぶことも可能かもしれない。

さらに、コストパフォーマンスの面でも優位性がある。年間80兆円と言われるアメリカの軍事費にまともに対抗するのはさすがに厳しい。現在、中国の軍事費は20兆円程度であり、これを無理やり4倍に増やせばさすがの中国も経済破綻する可能性がある。そこで、軍艦や戦闘機よりもお手軽なサイバー部隊を強化して、敵の高価な兵器を無効化する搦め手を使ったほうがはるかにコスパがいい。さらに、サイバー能力を強化するために、国家としてＩＴ産業に多額の補助金を出す大義名分にもなる。実際に、中国企業はＩＴ製品の組み立てを安く請け負うことで外国企業と関係を持ち、その繋がりを使って先端技術を盗み出していたことが知られている。産業振興と防衛力強化、まさに一石二鳥の政策と言えるだろう。

さらに言えば、三戦（輿論戦、心理戦、法律戦）はサイバー攻撃よりももっとコストパフォーマンスの高い攻撃手段である。前章でも紹介した対象となる国のマスコミを広告費で買収し、自国の主張をそのまま記事のように報道させる「借り船戦略」やSNS上の偽アカウントを使った輿論誘導などは、極めてお手軽な攻撃手段である。

このような方法により、例えばアメリカ国内の人種対立を先鋭化させることができれば、アメリカという国家そのものを弱体化しうる。実際に、2020年のアメリカ大統領選挙において、深刻な人種対立が助長された。またトランプ大統領が選挙結果を不正選挙だといい続け、民主的な選挙の信頼を失墜させるような発言を続けたことも大きな隙を作った。民主主義世界のリーダーであるアメリカの選挙が不正にまみれていたということになれば、全体主義国家の独裁者を批判することはできない。これはいわゆる相殺（おあいこ）戦略というものだ。

中国としてはこのような敵失によるチャンスを使わない手はない。SNSの偽アカウントを使って、BLMや不正選挙を徹底的に煽り、この対立を助長するに越したことはない。万一、これがさらに過激化して、第二次南北戦争のような状態になればラッキーだ。その時、アメリカは他国と戦争している場合ではなくなるし、そもそも国際秩序へのコミットメントは大幅に後退する。アメリカが自国の国家体制を維持するだけで手いっぱいになれば、南シナ海の軍事バランスも相対的に中国優位に傾くかもしれない。まさに孫子の兵法が説くところの「戦わずして勝つ」というやつだ。

いくら強い軍隊を持っていても、異なるドメインで敵国に優位に立たれればその力を行使できなくなる可能性がある。さらに、旧来的な意味における軍隊の力を使わずとも、人間の意識というドメインでの戦いを制すれば、敵国民を操って敵国を大混乱に陥れることも可能なのだ。

陸海空で戦争が起こらなくても、新しいドメインを取られたら終わり

このように、現代の戦争は陸海空の軍事力だけで決するものではない。まして、朝日新聞が懸念する「徴兵制で動員された素人が鉄砲を撃ち合う戦争」は現在では極めてコスパの悪いやり方となった。今の戦争は、陸地を奪い合う前に、目に見えないドメインでの戦いが始まり、そこで圧倒的な優勢を得て初めて物理的な力（軍事力）が行使されるのだ。

もちろん、過去においても制空権を確保して、地上軍が投入されるといった手順はあった。朝鮮戦争の時に、アメリカの兵站基地である日本で後方攪乱を狙ったテロ攻撃（日本共産党による中核自衛隊、山村工作隊）が行われたのも事実だ。しかし、この当時に比べて、現代の戦争は比べ物にならないぐらい深く広く一見関係なさそうなドメインにまで及んでいることは留意しなければならない。ドメインを横断することを「クロスドメイン」というが、現代の戦争はクロスドメインを前提とし、それなしでは遂行できない状態になっているといっても過言ではない。

クロスドメイン戦略は旧来的な意味での軍事力を補い、時には逆転する切り札になり得る。ドメインについて深く理解することは、現代における戦争を勝利に導くために大変重要なことだ。そして、裏返せばそれを知ることで敵の勝利条件の達成を防ぐことができる。

とはいえ、さまざまなドメインにおける力が錯綜する現代の戦争を理解するには、そもそもドメインというものの本質、そしてその全体像を把握しなければならない。そこで、これまで断片的に述べてきた新しい戦争の有様についてドメインという軸で一度整理したいと思う。

「実体領域」「デジタル領域」「電磁波領域」「認知領域」の関係

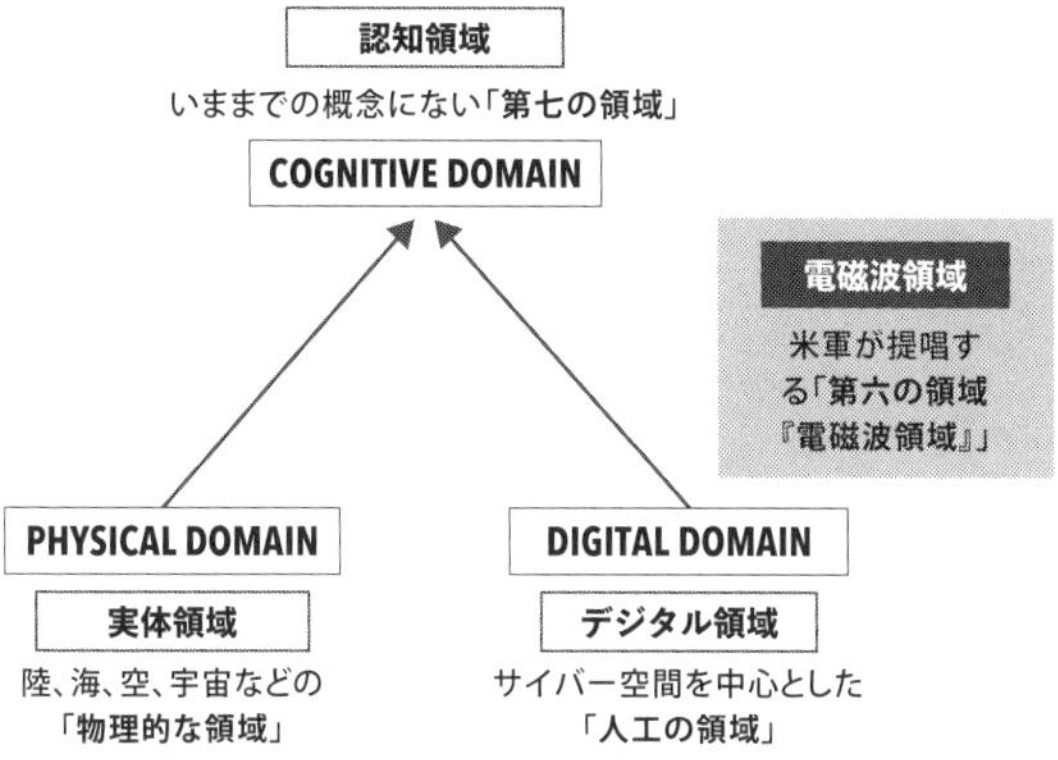

『現代戦争論―超「超限戦」』　P304をもとに作成

現在、戦争のドメインとして想定されているものは大まかに分けて7つある。前掲の『現代戦争論―超「超限戦」』からこれらのドメインをわかりやすく解説した図表を抜粋しておく。

ドメイン（領域）は大きく分けて「実体領域」「デジタル領域」「電磁波領域」「認知領域」に分かれている。実体領域には従来の戦争のドメインである陸海空が含まれ、さらに空の上にある宇宙が加えられている。デジタル領域とはいわゆるサイバー空間のことであり、これは説明不要であろう。電磁波領域と認知領域については後述する。

細かい説明をする前に、ドメインの構造について理解しておく必要がある。それぞれのドメインは1つの塊ではない。ドメインはその内部で細分化されることがある。

例えば、空というドメインについて考えてみよう。かつて、このドメインで優位となるためにはいわゆる制空権の確保が必須であった。端的に言えば、それは高性能の飛行機を開発することである。第二次世界大戦が世界各国の航空機開発競争だった側面があるのはこのためだ。

ところが、この制空権という概念に最近は揺らぎが生じている。飛行機の縄張りは超低空飛行の高度100メートルぐらいから高高度爆撃機が飛ぶ1万8000メートルぐらいのところまでだ。この縄張りを「飛行機のドメイン」としよう。これに対して、高度100メートル以下の本来スズメやハトやカラスが飛ぶ高さを「鳥のドメイン」と名付ける。「鳥のドメイン」は、これまで陸軍の大砲やロケット弾が飛び交う空間であり、武装ヘリコプターの縄張りだった。ところが、この「鳥のドメイン」の使い方に革命が起きてしまった。ドローンの登場だ。

「飛行機のドメイン」は長らくアメリカが圧倒的な優位を保ってきた。このアメリカ優位を覆すのは難しい。そこで、アメリカと対抗する勢力は搦め手を使った。オバマ政権が進めたテロとの戦いにおいて、米陸軍とイラク政府軍はIS側の自爆ドローンに遭遇した。自爆ドローンによる攻撃で部隊はたびたび足止めされ、ＩＳの拠点であるモスルを攻略するのにかなりの時間を要したのは事実だ。

ドローンは小さすぎて武装ヘリコプターでは対処できず、地上から発見することも、撃ち落とすことも難しい。最近では、アゼルバイジャン軍がイスラエル製ドローン「ハロップ」とトルコ製ドローン「ＴＢ２」を使用して、アルメニア軍に大打撃を与えている。まさに「鳥のドメイン」の活用である。「飛行機のドメイン」の優勢だけでは、空全体を制したとはいえなくなってしまったのだ。

このように、既存のドメインが細分化され、新たに定義されたドメインで優位に立つことで戦況に一定の影響を与えることも可能だ。さらに言えば、後述するサイバー攻撃などと組み合わせることによって、自身の弱点を補い、敵に大打撃を与えることも可能となる。ドメインはそれ単体よりも、クロスドメインで運用されることによってレバレッジがかかると考えたほうがいいだろう。このような前提に基づいて、それぞれのドメインについての解説を理解してほしい。

まるでSF？　個人が国家と戦える新しいドメイン

まずは主要な7つのドメインそれぞれについて説明する。

「実体領域」とは物理的な空間のことで、陸海空に宇宙を加えた4つのドメインに細分化される。米ソ冷戦のさなかに宇宙開発競争が過熱したが、あれはこの4つ目のドメインである宇宙での優勢を保つための競争だったと解釈できる。現在においても、最終的に戦争の勝敗を決めるのはこれらの陸海空のドメインにおける力だ。人民解放軍がいくらサイバー攻撃に力を入れているとはいっても、他方で陸海空軍の軍拡を続けている理由もそれだ。

そして、先ほど紹介した「鳥のドメイン」のように、これらの旧来型のドメインをさらに細分化する動きもある。例えば、海のドメインには水上艦艇のドメインと潜水艦のドメインが存在する。どんなに立派な機動艦隊も潜水艦の待ち伏せ攻撃を食らえば1時間で全滅するかもしれない。アメリカの空母打撃軍が空母を守るために対潜能力を備えた哨戒機、ヘリコプター、駆逐艦を多数引き連れている理由はまさにそこにある。

領土防衛のための作戦の一例

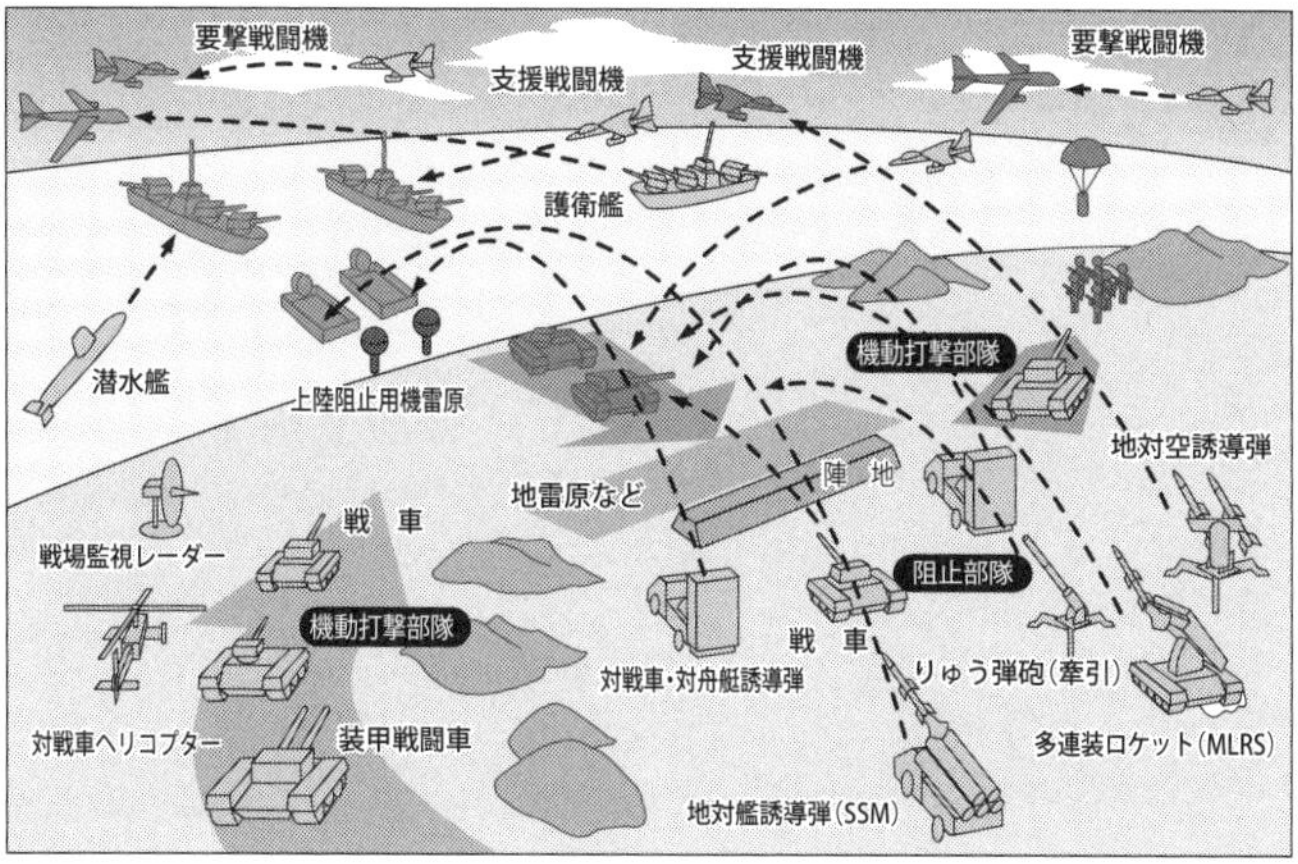

平成15年版「防衛白書」をもとに作成

また、実体領域の中でもクロスドメイン作戦が一般的である。例えば、いま自衛隊が進めている統合運用はその典型例だろう。この中で想定されている戦争の中に、いわば「海軍vs陸軍」のようなものがある。防衛白書からそのイメージ図を引用する。

敵の上陸部隊に対して陸海空自衛隊は連携してこれを撃破する。特に、陸上自衛隊が持つ地対艦ミサイルは敵海軍にとっては大きな脅威となるだろう。２０１９年４月29日の産経新聞は次のように報じている。

防衛省は、南西地域に配備する陸上自衛隊の地対艦誘導ミサイル（ＳＳＭ）を改良し、射程を現在の約２倍に延伸する検討に入った。艦艇の能力増強を図る中国軍への対処能力と抑止力を高める狙いがある。改良した同型のミサイルを海上自衛隊の哨戒機にも搭載し、空対艦ミサイルとしても活用する。複数の政府関係者が28日、明らかにした。

射程を延伸するのは最新鋭の12式ＳＳＭ。現在は射程２００キロ程度だが、最大４００キロ程度にまで伸ばす。令和５（２０２３）年度に部隊配備する。

陸自は、戦力の「空白地帯」とされる南西地域の防衛態勢強化を急いでいる。今年３月には鹿児島県・奄美大島と沖縄県・宮古島に駐屯地や分屯地を新設。奄美大島では南西地域で初めて１２式ＳＳＭが配備され、来年には宮古島にも導入される。駐屯地の新設が計画されている沖縄県の石垣島でも配備される見通しだ。

（https://www.sankei.com/politics/news/190429/plt1904290004-n1.html）

宮古島に改良した地対艦誘導ミサイルを配備した場合の射程（イメージ）

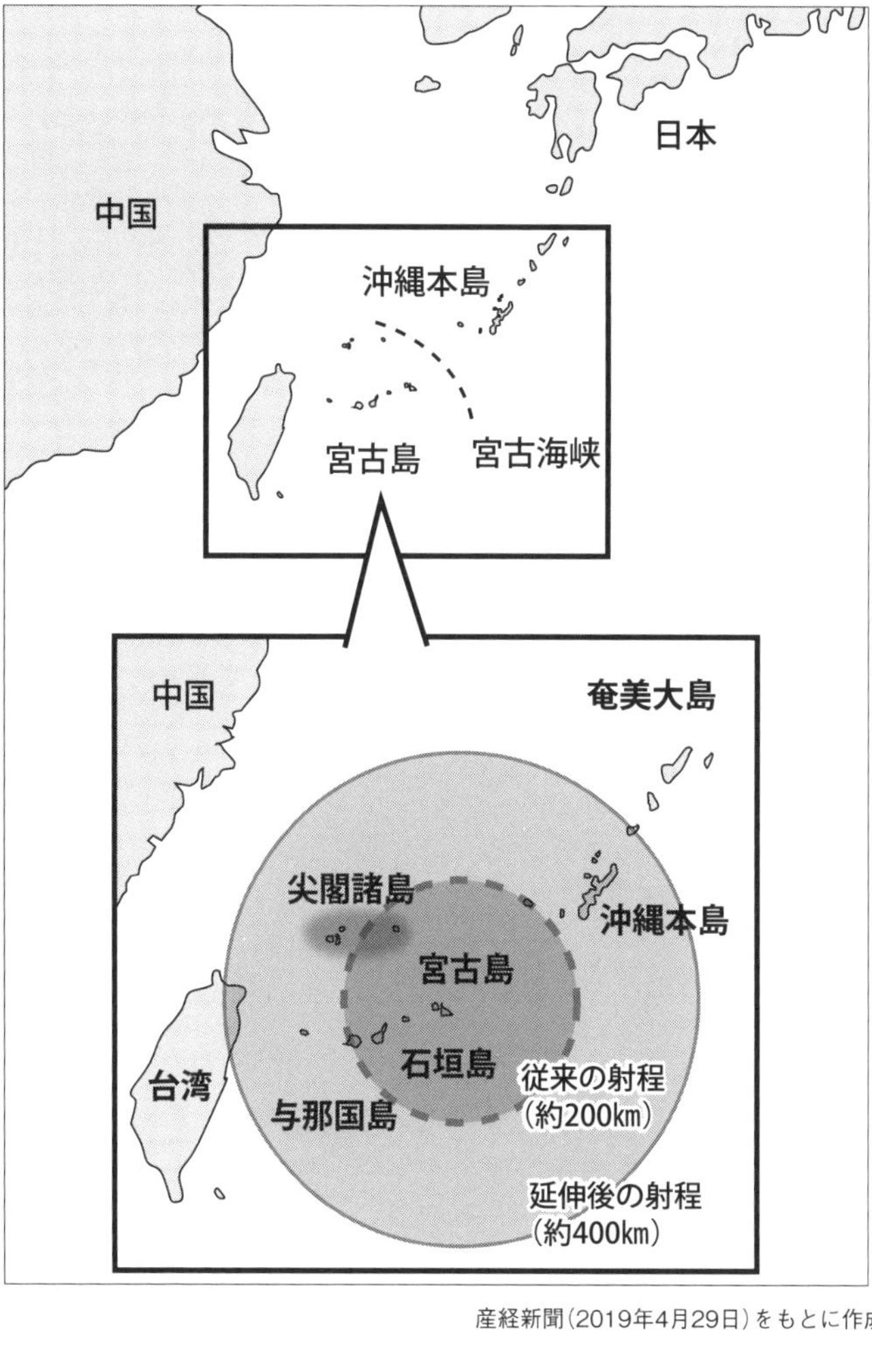

産経新聞（2019年4月29日）をもとに作成

もちろん、統合運用は世界的な流れだ。自衛隊だけが進んでいるわけではない。さらに言えば、中国人民解放軍の場合、この統合運用が実体領域以外のドメインを担当する部隊とも進んでいる。またロシアは実際に実体領域とデジタル領域、認知領域を組み合わせたハイブリッド戦を行い、クリミア併合という「成果」を上げてしまった。この点については後述する。

話を元に戻そう。次に解説するのはデジタル領域だ。これはサイバー空間を中心とした人工の領域であり、もはや説明が不要なほど我々の生活に浸透している。そして、人民解放軍が最も得意とする領域でもある。サイバー攻撃にはさまざまな種類があり、ここでそのすべてを網羅するのは不可能だが、代表的なものをいくつか挙げておこう。日鉄ソリューションズ事業部のサイトの解説が充実していたので、少し長くなるがそのまま転載する。

1. 標的型攻撃

標的型攻撃とは、金銭や知的財産などの重要情報の不正取得を目的として、組織内の特定の構成員に対して行われる攻撃です。

標的型攻撃にはいくつかの手法がありますが、もっとも代表的な手法として「フィッシングメール（偽装メール）」と「不正プログラム」の組み合わせがあげられます。攻撃者はなんらかの形でターゲットとなるメールアドレスを取得し、その特定ターゲットに対して関係性の高い内容でフィッシングメール（偽装メール）を送信します。そして、メール本文で巧妙に仕組まれたフィッシングサイトへ誘導し不正な情報取得を行おうとします。また、マルウェアの仕込まれた添付ファイルを開かせることで、不正プログラムをインストールさせて情報を盗み出そうとする場合もあります。メールの送信元は、一見すると正当に見えますがＩＰアドレスを調べると全く関係ない地域からの送信だったりします。

標的型攻撃は、近年最も深刻化しているサイバー攻撃であり、先の日本年金機構や大手旅行会社による情報漏洩事件もこの標的型攻撃が原因だとされています。

2．APT攻撃

ＡＰＴ（Advanced Persistent Threat）攻撃は、標的型攻撃の一種とされるサイバー攻撃です。「高度な（Advanced）」「持続的（Persistent）」「脅威（Threat）」の頭文字からもわかるように、特定のターゲットに狙いを定めて、あらゆる方法や手段を用いて侵入・潜伏します。潜伏後、数か月から数年をかけて継続的に攻撃を行うため企業にとっては大きな脅威となります。

3．ゼロデイ攻撃

ゼロデイ攻撃とはシステムセキュリティにおける脆弱性が発見されてから、修正プログラムや対応パッチが適用されるまでの期間に実行されるサイバー攻撃を言います。攻撃はパッチ提供前のため脆弱性を改善する手段がなく、もっとも深刻な脅威ともされています。

4．マルウェア

マルウェアは、情報搾取などを目的に不正に動作させる悪意あるプログラムの総称です。ウイルス、トロイの木馬、スパイウェア、ワーム、バックドアなどが存在し、種類によって感染経路や被害はさまざまです。ここ最近では特に〝ランサムウェア〟と呼ばれる身代金要求型マルウェアが横行し、各セキュリティ機関が注意を呼び掛けています。

５．ＤｏＳ攻撃／ＤＤｏＳ攻撃

特定のネットワークやサーバーに対して、過剰な負荷をかけたり脆弱性をつくことでサービスの正常な動作を妨害しサービス停止状態へと追い込むサイバー攻撃です。ＤｏＳ攻撃は、攻撃者のＰＣから直接、対象のリソースに対してトラフィックを送ります。一方、ＤＤｏＳ攻撃は攻撃者が複数の無関係なサーバーに侵入して、そこから一斉に攻撃を行います。

外部公開しているＷｅｂサイトであれば、標的になりうる可能性の高い脅威であるため、あらゆる企業や組織がこの攻撃に対して対策を取る必要があります。

６．ＳＱＬインジェクション

ブラウザーを介してＷｅｂアプリケーションに〝不正なＳＱＬ文〟を入力することで、動作不良を起こさせ、データベースを不正に操作したり個人情報や機密情報を搾取する攻撃です。この攻撃手法を用いるとデータベースに対してデータの削除や追加、変更、取得などを自由に操作することが出来るようになります。さらにデータベースからＯＳコマンドの実行などが可能であるケースもあり、企業や組織は甚大な被害を被る可能性があります。ＯＳに対する不正コマンドの実行を〝ＯＳコマンドインジェクション〟と言います。

７．バッファーオーバーフロー攻撃

ＯＳやアプリケーションプログラムのデータ処理に関するバグを利用し、コンピュータを不正に操作しようとする攻撃です。実行中のプログラムのメモリーに対して不正プログラムが送り込まれて実行されます。メインメモリーのスタック領域上で行われる攻撃が一般的ですが、その他にヒープ領域などで行われる攻撃もあります。

８．パスワードリスト攻撃

攻撃対象となるＷｅｂサービスとは別のサイトから取得したＩＤやパスワードのリストを用いて、攻撃対象となるＷｅｂサービスで不正アクセスを試みる攻撃です。複数のＷｅｂサービスで同一ＩＤやパスワードを利用している場合は簡単に情報搾取を許してしまいます。アカウントリスト攻撃などと言われる場合もあります。

9．セッションハイジャック

クライアントとサーバーの正規セッションに割り込み、セッションＩＤやセッションCookieを盗むことで攻撃する「なりすまし」の一種です。

一般的にはhttpにおける〝Ｗｅｂセッションハイジャック〟を指すことが多い攻撃です。

10．ポートスキャン

攻撃対象となるコンピュータのＴＣＰ、あるいはＵＤＰのポートに接続を試み、システムに脆弱性がないかを確認します。

発見された脆弱性を突いて不正アクセス、情報搾取、サービス停止への追い込みなどを行います。


（https://www.itis.nssol.nipponsteel.com/blog/nsseint/solution-for-various-cyber-attack.html）

これらの攻撃手段を使うのは一匹狼のハッカーだけではない。国家並びにそのバックアップを受けた組織が使い、相手国政府、企業、重要人物を攻撃する場合もある。デジタル領域における戦争は、国家vs企業、国家vs個人といった極めて非対称的なものだけに、大変恐ろしい。例えば、こんな事件も起きている。

中国政府と関係するハッカーらが今年に入り、新型コロナウイルスワクチンに関するデータを盗むため、米バイオ医薬大手のモデルナを標的にしたことが、米治安当局者の話で分かった。

司法省は先週、新型コロナウイルスに関する研究データや軍事機密などをサイバー攻撃により盗んだとして、中国人2人を起訴したことを明らかにした。起訴状によると、2人は今年1月、コロナワクチン開発で知られるマサチューセッツ州のバイオ企業のコンピューターネットワークに対し「偵察」を行ったとされる。

(https://jp.reuters.com/article/health-coronavirus-moderna-cyber-idJPKCN24V3FE)

次に、「電磁波領域」について説明する。このドメインは1999年に超限戦が発表されて以降に、アメリカ軍によって認識され新たに加えられたドメインだ。この領域で行われる攻撃としては、「電磁パルス（ＥＭＰ）攻撃」がもっとも有名だ。電磁パルス攻撃とは、核爆発などによって強力な電磁パルスを発生させ相手国の電力供給網を停止させるといったものを指す。サイバー攻撃はハッキングやコンピューターウイルスやマルウェアなど、デジタルインフラ上で実行され相手国のシステムに何らかの障害を発生させるが、電磁パルス攻撃は電磁波領域での力の行使により、デジタルインフラそのものを破壊する。この攻撃により、ターゲットはデータの消失など修復不能なダメージをこうむるのだ。

ここまで大掛かりなものでなくても、電磁波領域を使った軍事作戦はすでに実行に移されているらしい。現在、中国はラダックでインドと紛争状態にある。紛争のエスカレーションを避けるために銃などの火器は使用できないが、文字通り肉弾戦は何度か行われ、人民解放軍が無残にも敗退したことが分かっている。ところが、人民解放軍はこの劣勢をはね返すために、電磁波領域での力の行使を行ったらしい。テレビ朝日が次のように報じている。

中国人民大学国際関係学院・金燦栄教授：「山の下からマイクロ波を放つと、山頂は電子レンジと化した。山頂にいた人（インド軍）は15分で嘔吐《おうと》し、立てなくなって逃げ出した。こうやって中国軍が（山頂を）奪還した」

中国軍がマイクロ波兵器を使用したとされるのは、今年5月から国境を巡って衝突が続くインド北部のラダック地方です。中国人民大学の金教授によりますと、中国軍は5600メートルの高地を占拠したインド軍に対してマイクロ波兵器を使用し、インド軍は退却を余儀なくされたということです。金教授は米中関係など外交の専門家で、政府の政策決定にも影響を与えています。

（https://news.livedoor.com/article/detail/19234724/）

果たしてこの戦果報告は事実なのか？　それとも、フェイクなのか？　まさにこれが次に解説する「認知領域」に関わる問題だけに興味深い。

先の大戦で日米とも敗れた認知領域の戦い

「認知領域」とは、人間の脳内に広がる無限の空間だ。この領域における優位を確保するために、人民解放軍は三戦（輿論戦、心理戦、法律戦）を積極的に進めてきた。しかも、彼らは同じ社会主義陣営にあったソ連の指導の下、戦前からこのドメインを積極的に活用してきた事実がある。

例えば、戦前のソ連のスパイはアメリカのシンクタンクを乗っ取り、対日感情を悪化させるために日本が中国を虐《いじ》めているという趣旨のレポートを書きまくった。当時のアメリカは国務省が今ほど組織立った情報収集を行っておらず、海外にいるキリスト教の伝道師やビジネスマンから情報を取っていた。中でも、「太平洋問題調査会（ＩＰＲ）」のアジア太平洋問題に関するレポートの影響力は絶大だったが、まさにこのシンクタンクがソ連のスパイに乗っ取られてしまったのだ。この点について情報史学の専門家、江崎道朗氏は次のように解説する。

ＩＰＲは、アジア太平洋沿岸国のＹＭＣＡ（キリスト教青年会）の主事（教会の牧師にあたる）たちが国際理解を推進すると共にキリスト教布教を強化する目的で１９２５年、ハワイのホノルルで汎太平洋ＹＭＣＡ会議を開催した際に創設された。

ロックフェラー財団の資金援助を受けたＩＰＲはアメリカ、日本、中国、カナダ、オーストラリアなどに支部を持ち、２年に一度の割合で国際会議を開催、１９３０年代には世界を代表するアジア問題についてのシンクタンクへと成長することになる。

このＩＰＲを、アメリカ共産党は乗っ取ったのだ。ＹＭＣＡ主事としてインドや中国で活動したエドワード・カーターが１９３３年に事務総長に就任するや、中立的な研究機関から日本の外交政策を批判する政治団体へと、ＩＰＲは性格を大きく変えていく。カーター事務総長は１９３４年、ＩＰＲ本部事務局をホノルルからニューヨークに移すと共に、政治問題について積極的に取り上げることを主張し、機関誌「パシフィック・アフェアーズ」の編集長にオーエン・ラティモアを抜擢した。

後にマッカーシー上院議員によって「ソ連のスパイ」だと非難されたラティモアはＩＰＲの機関誌において日本の中国政策を「侵略的」だと非難する一方で、中国共産党に好意的記事を掲載するなど、その政治的偏向ぶりは当時から問題になっていた。

にもかかわらず、ラティモアを擁護し続けたカーター事務総長はＦＢＩの機密ファイルによれば、自ら「共産党のシンパだ」と認めており、その周りには共産党関係者が集まっていた。一九二九年にカーターの秘書としてＩＰＲ事務局に入ったフレデリック・ヴァンダービルド・フィールドは有名な資産家の息子で、その左翼的言動から「赤い百万長者」と呼ばれていた。

そのほか、カーター事務総長のもとでＩＰＲの研究員となったメンバーは、歴史学者で後にカナダの外交官となったハーバート・ノーマン、シカゴ大学出身で１９４１年には蔣介石政権の財務大臣秘書官となる冀朝鼎《きちょうてい》、そして上海でゾルゲ・グループの一員だった陳翰笙《ちんかんしょう》がいるが、ヴェノナ文書によれば、フィールドも冀朝鼎もソ連のスパイだった。陳翰笙は中国共産党のスパイだったし、東京裁判でA級戦犯選定に関与したハーバート・ノーマンも戦後の１９５７年、アメリカ上院司法委員会で共産党員ではないかと追及され、エジプトで自殺している。

（https://ironna.jp/article/915）

アメリカで日本に対する一方的な批判が沸き上がると同時に、日本でも対米開戦を煽る論調が盛り上がった。それを主導したのは元朝日新聞記者の尾崎秀実をはじめとしたソ連のスパイたちである。もちろん、この工作活動だけで日本の対米開戦が決定したとは言わない。だが、実際にそういう工作があったという事実が非常に重要だ。まさに認知領域における戦争が物理的な戦争よりも前に始まっていたからだ。そして、日米両国はこの認知領域での戦争においてソ連と中国共産党に負けた。そのため、やらなくてもいい戦争をやり、多大な犠牲を出してしまった。そのせいで、日本とドイツの挟撃におびえていたソ連のスターリンは胸をなでおろし、滅亡寸前まで追い込まれていた中国共産党の毛沢東は快哉を叫んだ。そして、戦後の東ヨーロッパと東アジアには社会主義国家が生まれ、数々の人権弾圧により戦争の時とは桁違いの人間が殺された。まさにこの悲劇の原因を作ったのが日米両国の認知領域における敗北である。

さて、ここで先ほど問題提起してまだ答えを出していない「インド軍が人民解放軍の電磁波攻撃で撤退した」という真偽不明の情報について思い出してほしい。あれは電磁波領域での戦いに見せかけて、実は認知領域の戦いでもある。インド軍は報道された事実について公式に否定した。インド軍公式ツイッターより以下を引用する。

Media articles on employment of microwave weapons in Eastern Ladakh are baseless. The news is FAKE.

（訳）ラダック東部でのマイクロ波兵器の使用に関するメディア記事は根拠がありません。ニュースは偽物です。

（https://twitter.com/adgpi/status/1328732069598437376）

これに対して中国側からの反論は現時点では確認されていない。おそらく、実体領域での劣勢を挽回するために認知領域で優位に立つことを企図したクロスドメイン攻撃だった可能性はある。また、このフェイクニュースから約１週間後の２０２０年11月22日、中国はインドとの緩衝地帯でもあるブータンの領内に約９キロも侵入し、勝手に道路を造成して集落まで作ったことが報じられた。その現場はインド、中国、ブータン３か国の国境地帯で、２０１７年に中国軍とインド軍が対峙したドクラム高地から東に10キロも離れていない。ラダックで勝てないと見るや、別の戦場で勝負を仕掛ける。江戸の敵を長崎で討つかのようなこの動きこそ、クロスドメイン作戦の応用だ。

とはいえ、人民解放軍は軍事力の行使まで含めたクロスドメイン作戦を実際に運用したことはない。インドとの戦いでも現時点ではストリートファイトか不法侵入までで、軍事力の行使という点では限定的だ。

ロシアによるクリミア併合は超限戦の成功例

中国で生まれた超限戦という新しい戦争の概念をより進化させ、実際にそれを使って戦争をしてしまった国がある。ロシアだ。２０１３年にロシア軍の制服組のトップであるゲラシモフ参謀総長がある論文を発表した。冒頭には次のように書いてあるという。

21世紀においては、平和と戦争の間の多様な摩擦の傾向が続いている。戦争はもはや、宣言されるものではなく、われわれに馴染んだ形式の枠外で始まり、進行するものである。北アフリカおよび中東における、いわゆるカラー革命に関連するものを含めた紛争の経験は、まったく何の波乱もない国家が数か月から場合によっては数日で激しい軍事紛争のアリーナに投げ込まれ、外国の深刻な介入を受け、混沌、人道的危機そして内戦を背負わされることになるのである。（中略）もちろん、『アラブの春』

は戦争ではなく、したがって、われわれ軍人が研究しなくてもよいと言うのは簡単である。だが、もしかすると、これが21世紀の典型的な戦争ではないのだろうか？

(http://www2.jiia.or.jp/kokusaimondai_archive/2010/2017-01_005.pdf?noprint)

ゲラシモフ氏の認識によれば、アラブの春のような民主化運動も、ウクライナのカラー革命のような民主化運動も、ある種の戦争である。そして、これらはすべて西側諸国がロシアに対して仕掛けたものだと考えている。そのため、ロシアも反撃する権利があるということになる。しかし、まともに侵略戦争を仕掛けたら、国際秩序のルールに明確に違反し、全世界から制裁を食らう可能性がある。そのためロシアは戦争の抜け道を考えた。西側諸国が仕掛けてくる見えない戦争をもっと上手く巧妙にやればいい。それが超限戦を進化させたロシア式のハイブリッド戦争である。その考え方は概ね以下のようなものである。

ゲラシモフ参謀総長は、21世紀における戦争は国民国家体制の下で築かれてきた古典的な戦争の形式および手順に当てはまらないものとなりつつあり、「非軍事的手段」

が主となりつつあるとのテーゼを掲げる。ゲラシモフ参謀総長によれば、このような「非軍事的手段」とは、政治、経済、情報、人道、その他の幅広いものであり、これらが「住民の抗議ポテンシャル」に応じて適用される。一方、非公然の情報敵対活動および特殊作戦部隊の活動を含む国家の正規軍は、こうした「非軍事的手段」を補完する目的で使用される。また、公然と軍事力を使用する場合には、平和維持活動および危機管理という形態を装う場合があるし、在来型戦闘においては単一のネットワーク化されたハイテク・高機動戦力を駆使する。そして、これら正規・非正規の手段を組み合わせることによって、敵国内部には「継続的に機能する戦線」が出現する、という。

出典：国際問題 No.658（2017年1・2月）
『ウクライナ危機に見るロシアの介入戦略　ハイブリッド戦略とは何か』（小泉悠）
(http://www2.jiia.or.jp/kokusaimondai_archive/2010/2017-01_005.pdf?noprint)

では、ロシア式のハイブリッド戦争とは具体的にどういうものなのか？　ゲラシモフ論文発表の翌年、クリミア併合の際にそれは実践されている。その顚末を見ることでハイブリッド戦争のイメージを摑むことにしよう。少し長くなるが『現代戦争論—超「超限戦」』から引用する。

クリミア侵攻に先立ち、2007年以前からロシアと関係の深いAPT28（FANCY BEAR）、APT29（COZY BEAR）といった組織（グループ）がウクライナ国内のサイバー空間に入り込み、バックドアを設置していたことが明らかになっています。その後、これらのバックドアを利用し、ウクライナ国内のインターネットサイトの改竄事案が多数生起しました。また、それ以前から、Red October、Mini Dukeなどのウイルスを利用したサイバー攻撃（アルマゲドン作戦）が行われ、ウクライナ国内の情報窃取や軍事行動支援のための情報操作などが行われていました。

侵攻前年の2013年には、ウクライナの複数のテレビ局関係者や親EUの政治家などのサイトが分散型サービス拒否攻撃（DDoS攻撃）を受け、情報発信ができない事象が多数生起していました。

また、ウクライナ国内の通信インフラの大半はロシア製であり、ネットやシステムへの侵入方法、バックドア等は事前にロシア側に把握されていたとの情報もあります。これはサプライ・チェーン・リスクという見地から、根本的な問題でもありました。

そのような準備を経て、第二段階としての実際の情報戦が侵攻の1、2年前に行われていました。2012年からは、ウクライナ国内のサイトの改ざんや多数の戦略的な情報のリークが行われ、2013年から2014年の間は、前述のマルウェアやバックドアを巧みに利用し、ボット、トロールまたはサイボーグなどの手段により多数の「偽情報」が拡散され、ウクライナ国民のなかで社会騒乱の状態が生まれました。さらに、ロシアによるクリミア併合に対する肯定的な情報やロシア軍に対する賛美の情報が国民の中に浸透していきました。

しかしながら、これらの情報操作は、ウクライナ東部地区（親ロシア地域）およびクリミアでは成功したもののウクライナ全土にまでは浸透しませんでした。そのため、事態を早期に収拾したいと考えたロシアは、クリミア併合の軍事作戦を強行したということです。

軍事作戦に当たっては、情報戦・電子戦及び旧来の兵器のあらゆる手段を用いて実施され、特殊部隊と空挺部隊は早期に重要施設を占拠しました。並行してインターネット・エクスチェンジ・ポイント（IXP）や通信会社の施設を軍事・非軍事の両手段により無力化し、ウクライナ国内の指揮通信能力を奪うことにも成功しました。親EU

議員の携帯電話やそのＳＮＳアカウントにもサイバー攻撃を実施し、ロシアに対する否定的な情報発信の場を奪うことも行いました。侵攻達成後にも影響工作は継続し、その結果、「クリミア住民自身の希望によりロシアに帰属した」との住民投票の結果を得ることにも成功しました。

（前掲：『現代戦争論―超「超限戦」』Ｐ３１０）

まさにマルチドメイン作戦だ。サイバー攻撃のみならず、認知領域に対してフェイクニュースとＳＮＳを使った影響工作を行い、ダメ押しで軍事力を行使する。なんと、クリミアは侵攻されてから事実上ほぼ１日で「陥落」してしまった。しかも、この軍事作戦の最終場面には「リトル・グリーン・メン」と呼ばれる謎の武装勢力が登場する。ロシア軍の武器を装備し徽章を付けていない「兵士」たちは、ロシア軍がセバストポリの港を占領している間に、空港、軍事基地、議会などを占拠した。なお、ＳＮＳでは彼らが規律正しく殺戮などは行わない紳士たちだという情報も拡散された。あらゆるドメインで手抜かりがない見事な作戦だったと言えよう。

国民が死なない戦争と戦争の外注化

プーチン政権は否定するが、この武装勢力の正体は正規軍の下請けをした民間軍事会社ではないかと言われている。なぜロシアが民間軍事会社を代理勢力として駆り出すのか？　そこには主に3つのメリットがあると言われている。

ロシアの民間軍事会社は、ハイブリッド作戦の遂行に重要な追加的な手段を提供している。その意味で彼らには、一般に認められた指揮命令系統に属する通常型の軍隊に比べ3つの重要な利点がある。第一に、民間軍事会社は、信ぴょう性があろうがなかろうが、その活動を否認することができる。第二に、ロシア国内の多くの事業分野と同様、その違法性のおかげで政府は、経営者と社員の訴追リスクを維持することで、軍事会社に影響力を行使できる手段を手にしている。第三に、民間軍事会社はその性格から使い捨てにできる。民間軍事会社の犠牲者は比較的容易に隠蔽でき、発覚した場合も、正規軍の兵士、とりわけ徴集兵と比べ批判を招きにくいであろう。

民間軍事会社がロシアでは違法である事実が、ロシア政府との名目上の分離に役立っている。実際、軍事会社の中で最も有名なワグナーグループは、アルゼンチンに本社を置いている。しかし違法にもかかわらず、ワグナーなどの民間軍事会社は、正規軍・情報組織と密接に結びついている。ワグナーの社員は、シリアなどでの活動に対し正規軍の勲章を授与されており、ロシア南部のクラスノダール地方モルキノにある同社の軍事訓練施設を、ロシア連邦軍参謀本部情報総局の特殊部隊も使用している。

出典：『平成30年度国際シンポジウム報告書』（防衛研究所）
(http://www.nids.mod.go.jp/event/proceedings/international_symposium/pdf/2018/j_05.pdf)

プーチン政権が謎の武装勢力＝民間軍事会社であったことを否定するのは、まさに彼らを使う1番目のメリットそのものだ。ちなみに、ワグナーグループはその後シリアやアフリカの「戦線」に投入されていることが知られている。

話をクリミア併合に戻そう。前章で確認した通り、第二次世界大戦が終了した時点で確定した国境線を力で変更することは禁止されている。そこでクリミアでは、抜け道として「住民がウクライナ政府の差別と圧政に苦しんでいて、自らロシアへの併合を望んでいる」というストーリー（大義名分）が語られた。ロシアのクリミア侵攻は2014年2月27日、住民投票はその1週間後の3月6日に議会で決定され、3月16日に実施された。選挙の結果は賛成が96・77%と圧倒的で、侵攻から3週間ほどでロシア併合が決まった。仮に、国際秩序による軍事的な制裁があったとしても、これほどの短期間で多国籍軍が編成されることは考えられない。まして、軍事的な制裁はもっと遅れるだろう。その間に、ロシアは併合を既成事実化し、クリミアの防衛態勢も整えることができる。

もちろん、この住民投票にはウクライナの法律上さまざまな不備があったと指摘されているし、そもそもロシア占領下でロシア編入を問うというスタイルは民主主義の観点から大いに問題があると言えるだろう。しかし、ロシアはこの住民投票の結果を大義名分としてクリミア併合を実行に移した。国際秩序からは認められない現状の国境の変更を成し遂げてしまったのである。

そして、欧米諸国の反応はおそらくプーチン大統領の読みどおりとなった。軍事的な制裁は行われず、言葉による非難と経済制裁のみを科されただけだったからだ。もちろん、経済制裁のせいでロシア経済は大いに低迷したが、プーチン大統領は国民から圧倒的な支持を得た。全体主義的な権威主義国家と化してしまった今のロシアにおいて、独裁的な権力を持つ者は常にそれを維持することにしか関心がない。むしろ、国民は適度に飢えていて、怒りを外国に向けて爆発してくれるほうが助かるとでも思っているのだろう。

下のグラフはロシアの一人当たりＧＤＰ（米ドル換算）推移を表したグラフである。一人当たりＧＤＰはその国の国民の豊かさを表す指標だ。このグラフで見る限り、２０１４年以降の西側諸国からの経済制裁でロシアの国民は相当貧しくなっていることがわかる。

ただ、これをすべて経済制裁の成果と結論づけるのは早計だ。なぜなら、２０１４年に原油価格は１バレル１００ドル台から

ロシアの一人当たりGDP（米ドル換算）の推移

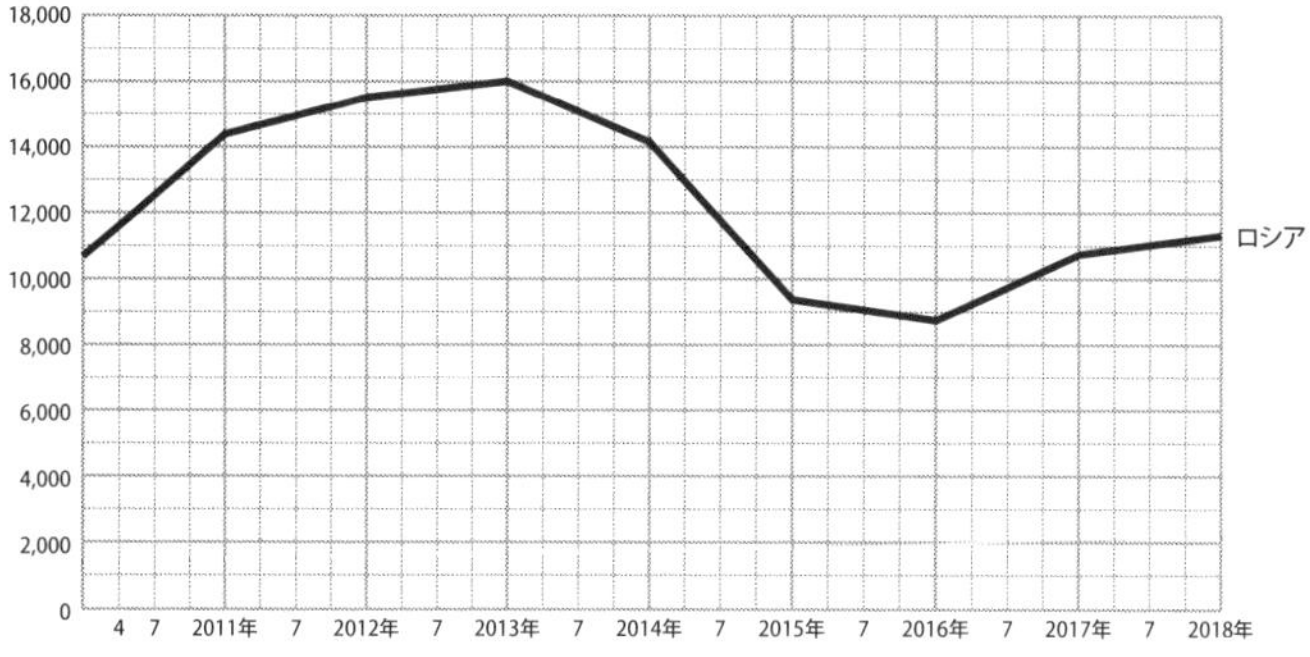

データ出所：世界銀行より

50ドル台へと急落している。エネルギー産業に大きく依存するロシア経済にとっては、むしろそちらのダメージのほうが大きいと考えられる。経済制裁の影響は今一つ見えていないと言えるのではないだろうか。だとしたら、国際秩序のルールの抜け道を突いて、結果的に支持率を上げたプーチン大統領は相当のものだ。

クリミアの事例に学び台湾を狙う中国

ロシアの大戦果を見た人民解放軍はお株を奪われた思いだろう。とはいえ、現在2014年にクリミアで起こったことがプレイヤーを変えてアジアでも起ころうとしている。それが人民解放軍の台湾進攻だ。前章でもたびたび指摘した通り、現在はサイバー空間というドメインにおいて、クリミア侵攻前の下準備として行われた活動と同様のものが台湾に対しても実行されている。

台湾政府は2020年8月19日、中国のハッカー集団が台湾政府機関に侵入し、重要な政府文書やデータを盗もうとしたと発表した。攻撃は政府組織10機関に及び、6000名の公務員のメールアドレスが流出した可能性があるそうだ。しかも、攻撃者は侵入後の痕跡を消し、被害の全貌は特定できないとのこと。こういったサイバー攻撃は２０１８年１月から２０２０年７月までの間、政府に確認されているだけでも１７００件もあったという。

デジタル領域で圧倒的な優位を確立したとき、人民解放軍は次の一手を打ってくる。実際に、２０２０年に入ってから、中国軍機による中台中間線を越える飛行や防空識別圏への侵入が相次いでいる。これらはいつでも進攻する準備があるという脅迫であり、国際秩序のルールの抜け道を突く挑発行為でもある。現在、アメリカは２つの空母打撃群を南シナ海に派遣し牽制しているが、海上の綱引きは続いている。

もちろん、中国はアメリカに対する攻撃も忘れていない。ウォールストリートジャーナルの報道によると、米ツイッター社は２０２０年１～３月に中国政府が運営する偽アカウントと判断した約17万４０００件のアカウントを削除したそうだ。これらのアカウントは、「香港の民主化要求デモや新型コロナウイルスなどのテーマに関し、政府の主張を広めるために利用されていた（※1）」とのことだ。

ところが、同年６月にジョージ・フロイド氏の殺害事件に対する抗議デモが拡大すると、アメリカの二重基準を批判する中国政府系とみられる投稿が増えた。この主張は、中国外務省の主張そのものである。実は3月までに削除されたアカウントはほんの数日で復活していて、次のネタを待っていたのだ。

中国の狙いは明白だ。アメリカの人種対立を煽って先鋭化させ、国家を内戦状態にして機能不全に陥れる。こうすることで、アメリカの国力を減衰させ、台湾へのコミットメントを削っていこうという算段だ。

台湾を巡る情勢について、日本は無関係でいられない。中国側のロジックによれば、尖閣は台湾の一部であり、台湾は中国の一部になる。そのため、ひとたび台湾が陥落すれば必ず中国は尖閣を取りに来る。台湾の独立を守ることは日本の国防にとっても非常に重要なことなのだ。

尖閣に限らず、日本が侵略を受けるとしたらクリミアのようなパターンが想定されるのではないか。国際秩序に明白に違反して、東京にいきなりミサイルを撃ち込んでくるバカはいない。狙われるのはやはり国境の島である。

現に、日本はポツダム宣言受諾後に北方領土をロシアに盗られている。さらに、1952年には韓国に竹島を盗られた。だからこそ、尖閣を警戒する必要がある。尖閣には誰も住んでいないので、クリミアのように住民投票の必要もなければ、軍事攻撃で民間人が巻き添えになることもない。だからこそ危険だ。

確かに、尖閣諸島は日米安保条約５条の対象であるとアメリカも明言しており、ひとたび中国が侵略してくれば日米は共同で尖閣を防衛することになるだろう。しかし、人民解放軍が米海軍と海上自衛隊という強敵にまともに挑むとは思えない。実体領域における戦闘を有利にするため、必ずマルチドメインの攻撃を仕掛けてくると考えるべきだ。

中国は反米感情を利用して日米間に楔を打ち込んでくる

そういう意味で、いま狙われているのは日本の認知領域である。それは「反米感情」を利用した攻撃だ。日本で何らかの形で反米感情を高め、それを使って日米の間に楔を打ち込み、安保体制を有名無実化する。これこそが作戦の準備段階だ。その役割は必ずしも親中派、左派が担うとは限らない。日本の極右、国粋主義者にアメリカの非道を批判させるのも一つの手段だ。

例えば、ＴＰＰ（環太平洋連携協定）を巡る右派勢力の反米的な反対運動は記憶に新しい。ＴＰＰにひとたび加入すれば、日本はアメリカに支配されるといったデマがまことしやかに流布されていた。似たような工作はバイデン大統領誕生に伴う日本のトランプファンの不満に便乗することでも可能だ。

2020年のアメリカ大統領選挙は近年まれに見る混乱を引き起こした。選挙に負けたトランプ氏は負けを認めず「バイデンは不正選挙で勝った」と主張し続けた。日本の熱狂的なトランプファンの一部はこれに便乗し、「バイデンは不正選挙で選ばれた親中派の大統領であり、こんなやつを信じてはいけない」と言い続けている。もし、私が中国の工作員なら、この不信感を助長するような言質を、公式な外交ルートを通じてバイデン政権から引き出すように進言するだろう。もちろん、その言質はバイデン氏の言う穏健な国際協調路線の一環で、中国に何か特権を許すものでなくて構わない。強硬なトランプ政権からほんの少しでも弱腰になったように見えればそれで十分だ。

いったんこの言質を取ったら、日米の左派メディアに送り込んである工作員を使ってこれをミスリードする。「アメリカは外交方針を転換して中国との対話路線に舵を切った！」という憶測記事を何度も書かせ、SNSなどで徹底的に拡散するだろう。

日本国内にいる中国を警戒する人々や中国の乗っ取り行為を不安視する人はこのニュースに過剰反応し、「やっぱりバイデンは信用できない！」と大騒ぎするのではないだろうか。もちろん、バイデン政権としてはトランプ路線との違いを強調したかっただけで、中国に対して何の特権も認めていないし、単に国際協調路線の原理原則を語ったにすぎないかもしれない。しかし、そんなことはどうでもいい。問題は認知領域において、日米関係に楔を打ち込めたかどうか、それで中国が優位に立てたかどうかだ。日本人を反米的な方向に少しでも近づけることができればこの作戦は成功である。「バイデンは信用できない！」、なんと単純で強力なメッセージだ。そして、「バイデンは信じられないから日本はアメリカに頼らず、独自の道を歩むしかない、自主防衛だ！」という論調に日本人が凝り固まってくれたらどんなに中国は助かることか。

中国が日本を攻撃できない理由は、同盟国のアメリカの反撃があるからだ。日米関係がもつれて安保条約が有名無実化し、アメリカが日本のために反撃しないとなれば、中国は躊躇なく日本を攻撃できる。中国には基本的に力の論理しか通用しない。対等な力をもって初めて話し合いが成立する国だ。日米の同盟関係に亀裂が入れば力のバランスは一気に崩れ、実体領域においても中国が優位となる。これこそが彼らの狙いなのだ。

そうならないために日本は単独で核武装せよとの主張もあるが、これも賢くない。いや、具体的に核武装するプロセスがすっかり抜け落ちていてむしろ危険である。そもそも、核武装するためには核実験をする必要がある。そのためには核拡散防止条約（ＮＰＴ）を脱退しなければならない。自由で開かれたインド太平洋という平和のメッセージを出している日本がこれを行うのは大きな矛盾だ。しかも、ＮＰＴ脱退と同時に、核の平和利用を謳った日米原子力協定も破棄されてしまうだろう。その場合、アメリカから提供されたプルトニウムなどの核燃料を返還する義務が生じる。さらに言えば、今は頼りになる味方のアメリカさえ敵に回してしまうリスクが高まる。これは、かつて対米開戦という決断に向けて、日本がどんどん孤立の道を歩んだ１９３７年以降の状況そのものではないか。物事を好き嫌いだけで考える人たちは現実には無頓着なのだ。勇ましいことを言っていても、非武装中立論のようなお花畑と全く変わらない。

さて、新しい戦争におけるドメインの役割についてご理解いただけたであろうか。次章では、さらにこれを掘り下げ、いま日本の目の前にある危機について考えていきたい。

※1　https://jp.wsj.com/articles/SB12390730502276204773504586440792088695906

第4章

武力を使わない「乗っ取り戦争」

国家を乗っ取るまでの起承転結プロセス

銀行強盗に完璧に備えていても、サイバーセキュリティが甘ければ金は盗まれる。犯罪者でなくとも、結果が同じならよりコストパフォーマンスが高い手段を選ぶのは当然のことだ。これは全体主義国家が支配地域の拡大を画策したときにも当てはまる。武力を使わずともその目的を達成できるスマートで低コストの方法があるなら当然そちらを選ぶだろう。

本書はここまで見えない戦争についてさまざまな問題を提起し、前章ではドメインという概念を使って戦争の有り様を解説した。戦争はすでに以前とは比べ物にならないぐらい複雑化し、日本のマスコミや平和教育で語られる戦争とは似ても似つかない別のモノになっている。その進化の方向性はまさにこのスマートで低コストに象徴される質的な変化だ。

今日の日本は、「平和を愛する人々」が長年広めてきた戦争に関する誤った捉え方のせいで、むしろこういったスマートで低コストな別次元の戦争に無防備になっている。

それはまるでマンションの管理組合が、「強盗を防ぐため警備員はどこまで実力行使できるか？」という議論に熱中するあまり、サイバーセキュリティがおろそかになっている状況に等しい。屈強な警備員でも不正アクセスから住民を守れない。サイバーセキュリティの脆弱性を突かれれば、入居者の個人情報が大量流出する。それらはいずれ悪用されて入居者の多くが犯罪の被害に遭うだろう。犯罪者は無防備な領域から侵入し、効率よくモノを奪っていく。今の日本の安全保障に関する議論はズレている。

私は心から平和を愛している。だからこそ、私はこの古臭い誤った戦争の概念をアップデートすべきだと主張してきた。それが戦争を避けるために最も重要なのだから。

全体主義国家は国際的な非難を受ける軍事力の行使よりも、もっとスマートな抜け道を狙う。実はその抜け道は古くから指摘されてきた。スイス政府編『民間防衛』によればそれは「乗っ取り戦争」と言われる内部からの攻撃だ。この本が書かれた1969年9月の時点ですでにスイス政府はこのスマートな抜け道を警戒していたのだ。本章ではこの「乗っ取り戦争」の文脈に従って、ここまで取り上げてきたさまざまな事例を整理する。手始めに民間防衛の想定する「乗っ取り戦争」について、起承転結という流れでまとめてみた。

〈乗っ取り戦争のプロセス〉

起

・心と体の武装解除（戦争は止めよう、平和が好き！　武器を捨てよう！）

・あらゆるドメインでの威嚇（武力による威嚇から、言論による威嚇、果てはスポーツを通じた威力示威行為）

承

・ターゲット国の内部対立を徹底的に煽る（ネタは何でも可。沖縄、アイヌ、原発、夫婦別姓、そしてアメリカ大統領選挙まで）

・政府に対する不信感を最大化（政府はアテにならない、同盟国は信用できないといった現状の体制に対する不満と不安を助長する）

転

・軍事攻撃（クリミア併合時のような超短期ハイブリッド戦）

・軍事力による威嚇で「城下の盟」を強要（幕末の不平等条約）
・激しい内部対立からの合法、非合法を含めた権力交代
・国際世論による圧力と包囲（北朝鮮制裁や古くはポツダム宣言受諾など）

結

・国土の喪失
・属国化
・革命政権樹立
・占領統治

オリジナルの『民間防衛』には起承転結とは書いてないが、この流れでまとめたほうが理解しやすいと判断し筆者が独自に付け加えたことをお許しいただきたい。

起承転結の「起」は矛盾した2つの主張による攻撃から始まる。融和と威嚇。誰がどう見ても正反対だが、これでいいのだ。なぜなら、その目的はターゲット国の内部を混乱させることにあるからだ。全体主義国家との融和を目指す人々とそれに反発する人々

を戦わせ、いずれ「承」のフェーズで助長される内部対立に繋げるために。

矛盾した要求がターゲットに心理的なパニックをもたらすいい例がある。某県立高校の演劇部出身の友人から聞いた話だが、その演劇部では「UFO見えるか?」という伝統的なイジメのやり方があるそうだ。突然上級生に呼び出された1年生は先輩から窓の外にUFOが見えるかどうか問われる。「見えない」と答えるとボコボコにされ、「いいか、わかったな? もう1回聞くぞ。UFO見えるか?」と再び問われる。ここで「はい、UFO見えます!」と答えると「ウソついてんじゃねぇ!」と再びボコボコにされる。もちろん「見えません」と答えても「てめぇ! 何度言ったらわかるんだ!」とボコボコにされるわけだ。つまり、このイジメに遭遇したら、何を言っても1年生はボコボコにされる運命にある。2つの矛盾する概念の中で二者択一を迫られ、精神的な抵抗力を失っていくわけだ。こうすることで先輩は後輩を精神的に支配する。なんとも恐ろしいイジメだ。

全体主義国家が片方で非武装中立のようなありもしない理想とお花畑を吹聴する団体を支援し、もう片方で軍事力を含めたあらゆる威嚇を行うのもこれと全く同じだ。極端な平和論と極端な戦争論、この2つの矛盾した主張の狭間で人々を惑わせ、神経を摺り減らさせ、「承」のフェーズへと追い込むのだ。疲れ切った人々は鬱憤晴らしに仲間割れを始める。そして、いくら文句を言っても言い返してこない政府に対しても不満を募らせる。怒りが更なる怒りを駆り立て、そのストレスが最高潮に達したとき、それは一気に爆発する。これが「転」のフェーズである。それは真珠湾攻撃かもしれないし、東欧革命やアラブの春のような民衆の叛乱かもしれない。それまでの体制が動揺し、新たな枠組みが生まれるのだ。そして、混とんとした状況にもいずれ安定が訪れる。それは正反対の力が衝突して最終的に均衡する地点なのかもしれないし、双方が疲れ果てて動きが止まってしまったのかもしれない。「転」のフェーズの躍動感が失せ、事態が落ち着くとき、フェーズは「結」へ移行する。

この起承転結のフェーズシフトについて、日本の歴史で解説したいと思う。その歴史とは対米開戦を「転」のフェーズとする戦争への道だ。そして、この戦争には「乗っ取り戦争」という裏に隠されたもう一つの戦争が存在する。あの戦争を日米の実体領域における戦争に矮小化してはならない。第二次大戦の本当の構図は、日独英米に対してソ連と中国共産党が仕掛けた壮大な乗っ取り戦争なのだ。

スターリンの砕氷船テーゼをご存じだろうか。日本とドイツを砕氷船に見立て、英米に激しく激突させる。そして、日本とドイツが消耗しきったところで背後から襲ってこれを平らげる。具体的には共産主義革命を起こして、ソ連の衛星国にするのが最終目標だ。そして、実際にこの作戦は実行され、ドイツの一部は東ドイツとしてソ連の衛星国になってしまった。

とはいえ、日本やアメリカのような民主主義の国を物理領域における戦争に向かわせるのは簡単ではない。これらの国には輿論があり、為政者はこれをとても気にするためだ。ソ連のような独裁国家が独裁者の鶴の一声で戦争が始められるのとは大違いだ。

日米両国を戦争に追い込むためには、両国をある種の閉塞状況に追い込み、戦争で状況を打破せざるを得ないと人々に思い込ませる必要がある。

本来なら、その閉塞状況を作るためにソ連や中国共産党は多大なコストを払って工作せねばならなかったはずだ。ところが、期せずしてこの閉塞状況は天から降ってきた。それも、資本主義経済のもつ大きな欠点によって。

経済失政による閉塞状況が敵の付け入る隙を生んだ

第一次大戦以降の世界経済は度重なる不況に喘《あえ》いだ。その原因は当時の資本主義経済が前提としていた金本位制である。この体制に組み込まれた国々は自国が保有する金の保有量までしか通貨を発行することができない。経済が大きく成長していた20世紀において、新しい金鉱脈が発見されない限り通貨の発行量を増やせないというこの制度は極めて不適切だった。なぜなら、経済がどんどん成長してモノは増えていくのに、お金の量がそれとは連動せず不足してしまうからである。お金の不足はデフレを招く。そしてデフレは大恐慌の原因となった（この点について詳しくは拙書『経済で読み解く日本史　大正・昭和時代［飛鳥新社］』をお読みいただきたい）。

世界中の国々、特に金本位制に組み込まれた先進国（ソ連や中国共産党はこれらの国を帝国主義諸国と呼ぶ）の経済は大混乱に陥った。経済的に困窮した人々はヤケを起して過激思想に走る。彼等を煽動するのは簡単だ。

この状況をソ連側からみれば、「起」が敵失によって棚ぼた的に舞い込んだことを意味する。経済失政、つまり金本位制への盲目的なこだわりが、ターゲットとなる国々の閉塞状況を勝手に作りだしてくれたのだ。この状況を利用しない手はない。

ソ連と中国共産党は日米の政権内部に大量のスパイを送り込み、徹底的に日米関係を悪化させた。ここからが「承」のフェーズだ。その工作活動の一部はヴェノナ文書で明らかになっている。

ヴェノナ文書によれば、当時の大統領補佐官（ロークリン・カリー）、財務次官補（ハリー・デクスター・ホワイト）などルーズベルト政権内部に300人近いソ連のスパイがいたことが判明している。前章でも指摘した通り、アジア問題に関して最も信頼されていたシンクタンク、太平洋問題調査会（IPR）がソ連のスパイに乗っ取られ、反日的で偏向した調査報告書を大量にばら撒いたのもこの時期である。

もちろん、日本では近衛文麿《このえふみまろ》首相の私的諮問機関（昭和研究会）のメンバーに正真正銘のソ連のスパイがいた。それが尾崎秀実である。また、そこには戦後社会党左派の大幹部となる風見章《かざみあきら》など、社会主義思想をひた隠しにしつつ国粋主義者を偽装した怪しげな面々が名を連ねた。

日本では1930年代から「承」のフェーズが始まる。この頃から日本は度重なる右翼によるテロ事件や軍によるクーデター未遂事件（三月事件、十月事件、五・一五事件）により徐々に「転」の方向に向けて押し込まれていく。そして、1936年に二・二六事件が発生し、大蔵大臣の高橋是清《これきよ》が暗殺されてしまった。高橋蔵相は金本位制を離脱し、国債の日銀直接引き受けという金融緩和を行い、日本経済は久々の活況を取り戻していたのに。敵は起承転結のフェーズを進めるために何が障害になっていたのかをよく知っていたようだ。ちなみに、首謀者の青年将校たちは、国粋主義を自称しつつも北一輝《きたいっき》の『日本改造法案大綱』にある官僚独裁国家を理想としていた。社会主義的な思想傾向を持っていたことは間違いない。

そして、高橋の後任の馬場鍈一は極めて愚かな政策を採用した。大幅な財政赤字とインフレを容認したのだ。当時の日本は爆発的な人口増加で労働力は足りていても、資源は全く足らなかった。お金を刷っても資源がなければモノは作れない。そこで外国に取りに行こうという話になる。「満蒙は生命線」という政治スローガンが正当化された理由をごく単純に言えばそういうことだ。そして、このスローガンを実行に移せば、他国からは支那大陸の利権を独り占めしようとしているように映る。特に、支那大陸の権益に対して機会均等を唱えるアメリカと利害が衝突するのは避けられない。ここで日米関係は閉塞状態にロックオンされた。あとはこの閉塞状態の中でお互いのストレスを高めて、最後に引き金を引かせればいい。

1937年に勃発した北支事変は前線部隊の小競り合いであったが、瞬く間に日中全面戦争へと拡大していく。最初の小競り合いのキッカケを作ったのは国民党軍の中に潜り込んでいた中国共産党のスパイだったという説もある。真相はわからない。しかし、中国共産党は沢山のスパイを蔣介石の国民党軍をはじめとした大小さまざまな軍閥の中に送り込んでいたのは事実だ。北支事変は支那大陸全土に広がり、出口の見えない泥沼の戦争が始まった。早期に停戦すべきこの戦争を永遠に続けろと煽ったのは尾崎秀実をはじめとするスパイたちだった。彼らは国粋主義者を偽装し、この戦争を煽り続けた。そんな連中の論説を紙面に掲載し続けた新聞や月刊誌の編集部の中にも共産主義のシンパが潜り込んでいたからだ。

しかし、ここで一つの問題が浮上する。当時のアメリカの大統領フランクリン・ルーズベルトは民主党の大統領であり、大統領選挙の公約で「子どもたちを戦場に送らない」と明言していた。どのような理由であっても、アメリカが戦争を先に仕掛けることはできなかったのだ。

とはいえ、ルーズベルトはイギリスのチャーチルと度重なる洋上での秘密会談を開き、ドイツ軍によって劣勢に立たされているイギリスを支援するために対独参戦を切望されていた。アメリカ海軍は幾度となくドイツ海軍を挑発したが、ドイツは全くこの誘いに乗って来ない。業を煮やしたルーズベルトは裏口からの参戦を考えたという。それが日本を挑発して最初の一発を撃たせ、それを口実に同盟国であるドイツに宣戦布告するというものだった。前章で解説した通り、この頃にはＩＰＲを通じた日本に対するネガティブキャンペーンは相当なレベルに達していたことも付け加えておこう。

このように、日本の対米開戦よりも前の１９３０年代から本格化する認知領域での戦いで日本は完全に負けていたのだ。その認知領域における戦いこそが「乗っ取り戦争」である。日本国内で革命を起こすことが不可能だと考えたコミンテルンは、日本をアメリカや蔣介石の中華民国と徹底的に戦わせ、消耗させたところで革命を起こすという作戦を考えたのだ。だからこそ、日本は全世界を敵に回して戦うという袋小路に追い込まれた。しかし、それは選択したというより選択させられたのだ。さらに言えば、この袋小路に追い込まれたという過去を消し去ろうと、平和教育という名の歴史修正が行われてきたのだ。

悲惨な戦争を回避したいのであれば、むしろ1941年の対米開戦に至る道（＝乗っ取り戦争）を徹底的に学び、反省し、改善すべきだ。日本の平和教育はそれをさせないために徹底的に対米開戦までの歴史を歪曲し、日本人が本当の意味で反省することを妨げているのだ。失敗から学ぶ機会を奪い、再び同じ過ちを繰り返して敗北させるための陰謀なのかもしれない。私はいまの平和教育こそ戦争への道ではないのかと思っている。

感情論が合理的な判断力を鈍らせる

さて、ここからが最も大事なところだ。なぜ当時の日本国民は対米開戦という決断をしてしまったのか？　そのプロセスを正確に知ることはとても大事だ。

マルチドメインの作戦においては、デジタル領域や電磁波領域、認知領域など実体領域以外での優位性が確保されたところで、「転」のフェーズへのシフトが起こる。1940年代に入って日米両国の相手国に対する感情が決定的に悪化してくると、「転」のフェーズへのシフトを狙ったさまざまな策謀が繰り出された。中でも最も効果的だったのはハルノートと石油禁輸措置である。

ハルノートの原文（ホワイト試案またはホワイト・モーゲンソー試案とも呼ばれる）を執筆した後の財務次官補ハリー・デクスター・ホワイトはヴェノナ文書にも登場するソ連のスパイだ。この男はソ連への軍事援助を目的とした武器貸与法の成立にも貢献していたことが知られている。

そしてアメリカが1941年8月に実施した石油輸出制限強化も、いつの間にか日本向け石油輸出の全面禁止と読み替えられ、日本の新聞紙面を飾った。実はハルノートよりもこの石油禁輸措置のほうが日本の世論を一気に対米開戦に傾けた力は大きかった。経済学者の牧野邦昭氏はその理由を行動経済学のプロスペクト理論で説明している。少し長くなるが、起承転結の承から転へのフェーズシフトが如何に発生するかを理解するために詳しく説明したい。

例えば、以下のような2つのプランがあったとき、多くの人はどちらを選択するだろうか？

プランA　確実に3000円損する

プランB　8割の確率で4000円損するが、2割の確率で損失がゼロになる

選択は人によって分かれると思うが、多くの人がプランBを選択することが知られている。プロスペクト理論によれば、「人間は損失回避の時にリスクを恐れず、利益を得る時にはリスクを恐れる」。プランBを選択した人は3000円の損失を回避するために大きすぎるリスクを取ったのだ。そのことを機会利益という考え方で説明しておこう。機会利益は利益額と確率を掛け合わせることで求められる。

プランAの機会利益　－3000円×100％＝－3000円
プランBの機会利益　－4000円×80％＋0円×20％＝－3200円

機会利益で考えれば、プランBは－3200円、プランAは－3000円だ。つまり、プランBのほうが200円損をする蓋然性が高い。だから合理的に考えればプランAを選択すべきだ。ところが、多くの人は確実に3000円損することに感情的に耐えられず、プランBを選ぶ。「それで失敗したら仕方ない」と腹をくってしまい、リスクに

対する感覚がマヒしてしまうのだ。

では、この理論を近衛内閣が瓦解して、東條内閣が誕生した時点に当てはめてみよう。牧野氏は、当時の日本の選択肢は次の2つだったという。（※1）

A　昭和一六年八月以降はアメリカの資金凍結・石油禁輸措置により日本の国力は弱っており、開戦しない場合、二〜三年後には確実に「ジリ貧」になり、戦わずして屈服する。

B　国力の強大なアメリカを敵に回して戦うことは非常に高い確率で日本の致命的な敗北を招く（ドカ貧）。しかし非常に低い確率ではあるが、もし独ソ戦が短期間で（少なくとも一九四二年中に）ドイツの勝利に終わり、東方の脅威から解放されソ連の資源と労働力を利用して経済力を強化したドイツが英米間の海上輸送を寸断するか対英上陸作戦を実行し、さらに日本が東南アジアを占領して資源を獲得して国力を強化し、イギリスが屈服すれば、アメリカの戦争準備は間に合わず交戦意欲を失って講和に応じるかもしれない。日本も消耗するが講和の結果南方の資源を獲得できれば少なくとも開戦前の国力は維持できる。

プランAを選択すれば、同じ敗北でも致命的でない敗北になったであろう。アメリカの要求を全部飲んで、支那大陸、ベトナムから全面撤退したとしても、その先の武装解除、占領統治、憲法の変更、宮家の廃止、公職追放まで自動的にエスカレートするとは思えない。海外から日本軍は撤退するだけで、武装解除していないわけだから、武装した日本軍を前に、あんな国家改造に近い社会実験を強要することなど不可能だ。冷静に考えればAを選択すべきだった。

しかし、当時の日本人はBを選択した。こちらを選べば「高い確率で日本の致命的な敗北を招く（ドカ貧）」とわかっていたにもかかわらずだ。しかも、Bが成功するためには①独ソ戦のドイツ勝利、②ドイツによる海上封鎖成功、③日本の東南アジア占領と資源獲得、④イギリスの屈服、という4つのハードルをクリアせねばならない。こちらを選択した時点で、「スーパーハードモード」もしくは、「無理ゲー」であることが明らかだった。ところが、「人は損失回避のためにリスクを恐れない」というプロスペクト理論の予想する通り、当時の日本人はまんまとこの罠には嵌《はま》ってしまったのだ。

前出の牧野氏は、上記に加えもう一つの要因を指摘している。それは社会心理学の「集団極化」「リスキーシフト」という概念だ。

「集団意思決定」の状態では、個人が意思決定を行うよりも結論が極端になることが多いことが社会心理学の研究で知られている。慎重な人たちが集団決定すればより慎重な選択が行われ、逆に危険を厭わない人たちが集団決定すればますます危険な方向の選択が行われる。このように集団成員の平均より極端な方向に意見が偏ることを集団極化（group polarization）と呼び、特にリスクを冒す方向に意見が偏ることをリスキーシフトという。集団極化が起きる原因としては、他者と比較して（集団の規範と一致する方向で）極端な立場を表明することが他のメンバーの印象を善くし、注意を引き、集団の中での存在感を高める、つまりはっきりしない意見よりも極端ではっきりした意見の方が魅力的に思えるということ、また集団規範や価値に合致する議論が自然と多くなって集団成員がそれに説得されてしまうことが指摘されている。（※1）

戦前の日本は大日本帝国憲法があり、普通選挙によって衆議院議員が選ばれ、予算の先議権が認められていた。戦前の政治体制は決して独裁ではない。政策決定は集団による意見集約（選挙）を経て行われていた。

ところが、日本は民主主義の国であったゆえにそれが弱点となった。外国から圧迫された状況において、国民の一部が「リスキーシフト」を開始すると、たちまちそれがエスカレートして一気に全体に伝播する。経済的な困窮に加え、ハルノートと石油禁輸措置で頭に血が上った大衆を「対米開戦やむなし！」と煽れば、「他者と比較して（集団の規範と一致する方向で）極端な立場を表明することが他のメンバーの印象を善くし、注意を引き、集団の中での存在感を高める、つまりはっきりしない意見よりも極端ではっきりした意見の方が魅力的」に見えるのである。

マスコミによる煽動の裏で進んでいた「敗戦革命」

もちろん、その旗振り役を買って出たのは当時のマスコミである。もっと正確に言えば、マスコミに寄稿していた当時の識者と言われる人々であった。その筆頭が前出の尾崎秀実のようなソ連のスパイだったわけである。国民世論がリスキーシフトしてしまえば、官僚も政治家も閣僚もみんなその同調圧力には逆らえない。天皇ですら無理だった。

度重なる経済失政は人々の心に大きなトラウマを刻んだ。一度頭に血が上った人々の恨みはちょっとやそっとで晴れることはない。そんな冷静さを失った人に、戦わずして降伏するか、一か八かの大勝負かの二択が示されたらどんな反応をするだろう？　しかも当時の新聞などマスコミは「座して死を待つのか！　この根性なしめ！　非国民め！」と煽りまくっていたのだ。

このように、対米開戦前の「乗っ取り戦争」で敗北し、まんまとソ連や中国共産党が望む日米の潰し合いを選択したことがすべての過ちの原因である。共産主義者たちの最終的な狙いは、日本をアメリカと戦わせ全滅させることだ。そして、全滅した後に日本国内で革命を成就させることだった。まさにスターリンの提唱する「敗戦革命」に向けた準備が着々と進んでいたのである。

１９４５年８月15日の玉音放送をもって「転」のフェーズである大東亜戦争が終結すると、最後の総仕上げである「結」のフェーズに向けて事は動き出した。最後の仕上げとは具体的には革命政権の樹立だ。そのために計画されていたのが二・一ゼネスト（１９４７年２月１日のゼネラル・ストライキ）である。

戦争終結から2年も経っていない混乱期に、全国規模のストライキが実施されたらどうなるだろう？　物資を運ぶ電車もトラックも止まり、店舗は休業し、国民は国会を取り囲んでデモをする。国内の混乱はさらに助長され一種の無政府状態が出現していたかもしれない。実は、この隙を突いて吉田茂政権を暴力によって放逐し、共産党と労働組合の幹部による民主連合政権を作ることが本当の最後の仕上げだったのだ。しかも、GHQの内部にいたソ連のスパイはこの革命を成就させるべく、わざと日本向けの援助物資を出し渋り日本を人工的な飢餓状態に陥れていたのだ。

しかし、ゼネストの実施が目前に迫った1月31日、マッカーサー元帥はゼネスト中止命令を出した。最悪の事態、日本が滅亡する事態はギリギリで回避された。

ところが、彼らはあきらめなかった。すぐに新しい乗っ取り戦争が始まったのだ。東大憲法学と平和教育。それは戦後75年間一貫して行われている。起承転結でいうなら、「起」のフェーズ、「戦争は止めよう、平和が好き！　武器を捨てよう！」という「心の武装解除＝平和教育」だ。

最近、それを象徴する事件が起こっている。２０２０年10月26日、早稲田大学の岡田正則教授はフジテレビのプライムニュースに出演し、次のように発言した。

「相手が軍備を持ってるなら、日本も武器を持たなくてはいけないは時代遅れ」
「話し合いで武器を使わないようにするのが自衛のあり方」

岡田氏といえば、菅義偉首相から日本学術会議の会員任命を拒否された候補の一人である。ここでもう一度スイス政府編『民間防衛』から大事な部分を引用しておく。ぜひ岡田氏の発言を踏まえた上でこの部分を読んでほしい。

国民をして戦うことをあきらめさせれば、その抵抗を打ち破ることができる。軍は、飛行機、装甲車、訓練された軍隊を持っているが、こんなものはすべて役に立たないということを、一国の国民に納得させることができれば、火器の試練を経ることなくして打ち破ることができる……。

このことは、巧妙な宣伝の結果、可能となるのである。

敗北主義――それは猫なで声で最も崇高な感情に訴える。――諸民族の間の協力、世界平和への献身、愛のある秩序の確立、相互扶助――戦争、破壊、殺戮の恐怖……。

そしてその結論は、時代遅れの軍事防衛は放棄しようということになる。

（前掲：『民間防衛』）※太字、傍線は筆者による。

岡田氏の「武器を持たなくてはいけないは時代遅れ」という発言はスイス政府が警戒せよと呼びかける「時代遅れの軍事防衛は放棄しよう」という敗北主義に酷似している。『民間防衛』によれば、敵は我々の抵抗意思を挫こうとし、美しい仮面をかぶった言葉を並べ、眠らせようとするらしい。彼は誰かに操られているのかどうかは知らないが、少なくともこれこそが乗っ取り戦争の第一段階だ。

意図的に憲法解釈をゆがめる東大憲法学

ゼネスト中止によって頓挫した乗っ取り戦争は、形を変えて未だに続いているのかもしれない。そして、この問題は極めて根深い。いわば日本の「構造問題」でもある。そもそも、岡田氏の「武器を持たなくてはいけないは時代遅れ」という発言の源流が、端的に言えば東大憲法学が唱えていた自衛隊違憲論にあるからだ。

大変残念なことにその影響力は今でも絶大だ。下のグラフは２０１５年６月30日に朝日新聞が憲法学者にインタビューした結果をまとめたものである。実に過半数以上の憲法学者が未だに自衛隊は「憲法違憲」、または「憲法違反の可能性がある」と考えている。「起」のフェーズは一定程度成功したとみていいだろう。

東大憲法学といえば、公務員試験、司法試験における「憲法」の出題をすべて取り仕切る巨大権力だ。彼らの憲法解釈は公式な解釈ではないが、これら資格試験を通じて多くの人の憲法観を操ることができる。その東大憲法学がかつて自衛隊は違憲であると主張していたのだ。

自衛隊違憲論に関する憲法学者へのアンケート

Q 現在の自衛隊の存在は憲法違反にあたると考えますか。

①憲法違反にあたる…50人	実名回答者（42人）
②憲法違反の可能性がある…27人	実名回答者（17人）
③憲法違反にはあたらない可能性がある…13人	実名回答者（6人）
④憲法違反にはあたらない…28人	実名回答者（19人）
⑤無回答…4人	実名回答者（1人）

朝日新聞2015年7月11日「安保法案　学者アンケート」をもとに作成

彼らは憲法の戦力不保持の条文の「戦力」という言葉を歴史的文脈から切り離し、単なる「戦う力」と読み替えた。そして、自衛隊には「戦う力」があるので、それは憲法に禁止されていて違憲だと主張した。とてもシンプルでわかりやすい素朴理論は広く日本国民に受け入れられてしまった。

しかし、この素朴理論は誤りだ。ここまで何度も述べてきた通り、戦力（War Potential）とは国権の発動たる戦争を遂行するための能力である。国権の発動たる戦争は第二次大戦後全世界で違法であり、違法行為を行った国は国際秩序から制裁される。そのために各国政府は制裁を行うための軍隊を持つ。日本も例外ではない。少なくとも自衛隊を含む自由主義世界の軍隊は国際秩序を守るために存在する。これは戦力（War Potential）ではない。日本国憲法英文草案にも、戦力（War Potential）とハッキリ書いてあるので抜粋しておこう。

CHAPTER II

Renunciation of War

Article VIII. War as a sovereign right of nation is abolished. The threat or use of

force is forever renounced as a means for settling disputes with any other nation.
No army, navy, air force, or other **war potential** will ever be authorized and no rights of belligerency will ever be conferred upon the State.

（外務省による仮訳）

第二章　戦争ノ廃棄

第八条　国民ノ一主権トシテノ戦争ハ之ヲ廃止ス他ノ国民トノ紛争解決ノ手段トシテノ武力ノ威嚇又ハ使用ハ永久ニ之ヲ廃棄ス

陸軍、海軍、空軍又ハ其ノ他ノ**戦力**ハ決シテ許諾セラルルコト無カルヘク又交戦状態ノ権利ハ決シテ国家ニ授与セラルルコト無カルヘシ

(https://www.ndl.go.jp/constitution/shiryo/03/076shoshi.html)　※太字、傍線は筆者による。

「war potential」の訳語として「戦力」という言葉が充てられているのは誰の目にも明らかだ。つまり、戦力の意味は「戦う力」ではなく、国際法における「war potential」

＝「国権の発動たる戦争をする能力」のことである。これは法律の用語であり、国際法においては常識なのだ。また、そう考えなければ「国際秩序の中で名誉ある地位を占める」という前文の趣旨とも整合しない。前文の本来の趣旨は、日本は戦争のない世界を実現するために、戦争禁止のルールとそれを破った国への制裁という国際秩序（集団的安全保障）に貢献するということである。

日本国憲法はその成立過程からして国際法と調和するように設計されている。この点を日本で初めて指摘したのは東京外国語大学の篠田英朗氏（国際政治）だ。ところが、よほど痛いところを突かれたのか東大憲法学は何ら反論をすることなく沈黙してしまった。実は、東大憲法学はこのような矛盾が過去においてもたびたび露呈し、そのたびに泥縄的に合憲のストライクゾーンを微妙にずらしてきた。

例えば、あれほど違憲だと言い張っていた自衛隊はいつのまにか合憲となった。しかし、それではメンツが立たないと考えたのだろう。今度は自衛権には、集団的と個別的の2種類があって、集団的なほうの自衛権は違憲だと言い出した。その言い出しっぺは２０１５年の安保騒動の発端を作ったあの長谷部恭男氏（憲法学）だ。２０１５年の安保法制を違憲だとした長谷部氏はその理由を次のように述べている。

憲法9条はご存知の通り、戦争、武力行使はするな、戦力は保持するなと言っているわけです。しかし、国民の生命と財産を守るのは政府として最低限の任務です。これは果たさなければいけません。

従来の政府は、それは個別的自衛権、外国が日本を直接的に攻撃してきたとき、他には手段がないという場合でしたら、必要最低限の範囲で攻撃を排除できると解釈してきました。

しかし、昨年の7月の閣議決定で集団的自衛権の行使が認められると解釈を変えます。その時の政府の閣議決定では、従来の政府の見解の基本的な論理の枠内に、新しい変更後の解釈があくまでも収まっていると主張しています。

その理由として、国民の生命、自由そして幸福追求の権利が根底から覆されるような状況で、個別的自衛権発動として武力行使できるわけですから、同じような危機的状況であれば集団的自衛権も行使できるとしています。

一見したところ、見かけの上では基本的な論理が保たれているかのように見えるんですが、**自国の防衛のための個別自衛権だったのに、他国を防衛するための武力行使**

も認めてくださいと、それは本質的には違う武力の行使ですよね。これは、従来の政府見解の基本的な論理を明らかに踏み越えているでしょう。

(https://synodos.jp/politics/14433) ※太字、傍線は筆者による。

長谷部氏が字面を追いかける議論をしているのは明白だ。また、彼が想定している世界では、未だに国権の発動たる戦争がそこら中で行われているようだ。まずこれだけでも相当ズレている。

しかし、ズレているのは長谷部氏だけではない。実は日本国政府も日本国民もズレていた。篠田氏にいわせれば、「1972年〜2015年の間の内閣法制局が、行使すると違憲になる、と奇妙で破綻した見解を持っていた奇妙な歴史があるだけで、日本は集団的自衛権を一貫して保持しています。(※2)」とのことだ。この意見には完全に同意する。

また、集団的自衛権が発動すると戦争に巻き込まれるという謎理論も平和教育やマスコミなどによってまき散らされている。もちろん、この主張には何のデータの裏付けもない。

イェール大学のブルース・ラセット教授とアラバマ大学のジョン・オニール教授の数量分析によれば、１８８６年から１９９２年までの間では、同盟関係をむすぶことで40％ほど戦争のリスクが減少することが判明している（このことは２００１年に両氏が著した『Triangulating Peace』に詳しい）。

戦わずして相手の気持ちを挫く情報戦

日本のマスコミは、全世界が75年間守り続けてきた国際ルールから国民の目をそらし、言葉の表面的な意味に囚われたズレた憲法論議を垂れ流す。一番の極論は旧社会党が掲げてきた非武装中立という実現不可能な政策だ。ちなみに、社会党は北朝鮮による拉致はでっち上げだと言い続けた政党であり、米国へ亡命した元ＫＧＢスパイであるスタニスラフ・レフチェンコの証言によれば元委員長の勝間田清一はソ連のスパイだったそうだ。心の武装解除という「起」のフェーズの攻撃を疑われても仕方ないのではないだろうか。

彼らのロジックによれば、日本は戦争中に悪いことをしたのでその反省のために二度と戦争はしてはいけないそうだ。そして、彼らは上から目線で日本は反省が足らないと責め立てる。樺太残留韓国人、従軍慰安婦、徴用工……これらはすべて強制連行されて劣悪な環境で働かされたという証言をもとに、日本政府に賠償を求める運動だ。もちろん、彼らの主張には事実と異なる部分が多い。しかし、そのことを指摘しようものなら、「日本人は反省が足らない。」「また私たちをさらうつもりだ。」「私は殺される！」といった批判を浴びせられ、罵詈雑言とレッテル貼りの嵐となる。こうすることで、日本人を委縮させ脅迫するわけだ。まさに融和と脅迫という「起」のフェーズの典型的な攻撃だ。最近、これらの工作活動はより巧妙になっている。例えば、一見スポーツ用品会社のイメージＣＭに見える動画が、「起」のフェーズのメッセージを含んでいたとしたらどうだろう。

アメリカのスポーツ用品大手ナイキがこのほど公開した、日本での人種差別を取り上げた動画広告が、同国で反発を引き起こしている。

「動かしつづける。自分を。未来を。The Future Isn't Waiting（未来は待ってくれない）」というタイトルのこの広告では、人種や民族などで複数のルーツを持つ３人の若いサッカー選手が「実体験」を語っている。

これまでにソーシャルメディアで2500万回以上再生され、8万回以上シェアされている。

しかし、人種などの繊細な問題をオープンに語る習慣のない日本では、この広告が激しい議論を呼んでいる。中には、外国企業が介入すべき問題ではないという意見もある。

ナイキ日本は、「日常の苦しみやあつれきを乗り越え、スポーツを通じて自分たちの未来を動かす」姿を描いたと説明している。

しかしソーシャルメディアでは、ナイキが差別を誇張している、日本だけを取り上げるのは不公平だという意見も出ている。また、ナイキ製品をボイコットすると脅すSNSユーザーも出てきている。

あるユーザーは、「まるで日本中にこういう差別があるとでも言いたげだ」と不満をあらわにした。


(https://www.bbc.com/japanese/55154984)

この広告が問題なのは、ナイキが在日朝鮮人差別を描くにあたって、北朝鮮による日本人拉致にも大きくかかわった朝鮮総連と事前に打ち合わせをしていた点である。しかも、登場する女子生徒が実際にいじめを受けていたのは日本の学校ではなく朝鮮学校だったのではないかという疑いもある。事実よりも最初から「日本にはまだ差別と偏見が残っている」という結論ありきで作られたCMだったのではないか。

この他にも、アウトドア用品のパタゴニアやマリンスポーツ用品のクイックシルバーなどが過激な環境保護団体シーシェパードに献金していたことが知られている。シーシェパードといえば南氷洋で日本の捕鯨船に体当たりしたり、薬品の入った瓶を投げつけたりするなど暴力行為を行ったことは非常に有名だ。代表のポール・ワトソン氏は日本とコスタリカから逮捕状が出ており、２０１２年5月にドイツで治安当局に身柄を拘束された。しかし、保釈中に国外逃亡している。カルロス・ゴーンさながらの国際的なお尋ね者だ。

しかし、問題はそこではない。シーシェパードが殊更捕鯨問題をクローズアップすることには深い意図があるのではないか。なぜなら、捕鯨問題によって本来自由主義世界の同盟者であるはずの日本と欧米諸国の間に楔を打ち込むことができる。この手の環境活動家のダブルスタンダードは目に余るが、自由主義諸国の内部対立を煽ろうとしているのではないかと本気で疑いたくなることが多々あるのも事実だ。

例えば、国連気候行動サミットで演説をして注目された環境活動家のグレタさんは、たびたび先進国の温室効果ガス削減の取り組みを批判するが、なぜかその最大の原因である中国は批判しない。これは本当に謎だ。しかし、グレタさんは片方で中国共産党が最も嫌う香港の民主化運動は支持すると表明していた。一体彼女は何者なのだろうか？

敵にも味方にも工作を仕掛ける巧妙な手口

環境問題の国際会議では中国をスルーしつつ、香港民主化運動という中国共産党が一番触れてほしくないことについてズケズケとモノを言ったグレタさんの行動は一見すると矛盾している。しかし、実はそうでもない。なぜなら、全体主義国家の味方にはいくつかの分類があるからだ。これは元ＦＢＩ長官のジョン・エドガー・フーバー氏が発案したもので、フーバーの五分類と呼ばれている。

フーバーの五分類

①公然の党員

②非公然の党員

③フェロートラベラーズ（同伴者）

④オポチュニスト（機会主義者）

⑤デュープス（騙されやすい人）

前出の江崎道朗氏はそれぞれについて次のように説明している。

公然の党員とは、共産党に所属していることを世間に公にして活動している者を指す。今の日本でいえば、共産党の党員や共産党から立候補した議員などだ。非公然の党員とは、共産主義を信奉していることや共産党に所属していることを隠し、公然の党員とも接触せず、共産党の極秘活動に従事する党員のことである。

フェロートラベラーズは、共産党に所属してはいないが自発的に共産党を支援する人、オポチュニスト（同伴者……筆者注）は利益が目的で一時的に共産党に協力する人、そして、デュープスは、共産党やその関連組織の宣伝（「平和を守れ」「弱者を救え」など）に情緒的に共感して、知らず知らずのうちに共産党に利用される人を意味する。

出典：『コミンテルンの謀略と日本の敗戦』（江崎道朗著　ＰＨＰ新書）

この五分類にグレタさんを当てはめるなら、おそらく④オポチュニストなのかもしれない。当初、グレタさんが中国批判をしないのは背後に中国系の環境基金があるからだと言われていた。グレタさんのように太平洋をヨットで横断できる「貴族」には当然スポンサーがいるだろう。環境問題は今後大きなビジネスになることが期待されており、グレタさんはその広告塔としてスポンサーは大いに期待しているのかもしれない。

とはいえ、グレタさんのスポンサーは中国系だけではなかったようだ。だから、香港問題を批判することで、トータルの利益が増えるならそれをやる。これこそがオポチュニストの真骨頂である。だから、利益のためなら中国共産党の一番嫌がる香港問題にも土足で踏み込んだということではないだろうか。利用し、利用されるのがオポチュニストである。

これに対して、①から③は基本的に全体主義国家に忠誠を誓う純粋な意味での工作員だ。②非公然党員は単に党籍を隠しているだけであり、③フェロートラベラーは党籍なしで、①②に比べると格下の存在だが思想的に共鳴しているため、さまざまな業務を外注できる。

②と③は客観的な言説を装って、特定の政策を推してみたり、政府を批判したりするので非常にたちが悪い。例えば、日本共産党の政治ビラなどに有識者として登場する有名人は②非公然党員なのではないかとの疑いをもたれている。

そして、最大の問題は⑤のデュープスだ。例えば、今回熱狂的な日本のトランプ応援団の一部は完全にこれになってしまった。「バイデンは信用できない！ だから、アメリカは信用できない！」と強硬に主張する彼らは、それが日米離反の道具になり得るリスクに無頓着だ。左翼的な思想よりもむしろこれら感情的主張のほうが煽りやすい。日本国内で起こった米大統領選挙を巡る内部対立は、全体主義国家にとっては棚ぼた的チャンスを与えたかもしれない。

このように、①公然の党員と②非公然の党員は連携し、③フェロートラベラーズ（同伴者）に外注し、④オポチュニストを利益で釣る。そして、最終目標は数万、数十万の⑤デュープスを操って感情と熱狂で正論を封じ込めることだ。

そして、さらに厄介なことがある。それはこれらの活動が巧妙に偽装されている点だ。例えば、中国政府が進めていた千人計画を例にしてその点について説明したい。

中国による科学者引き抜き、巧みな活動実態が判明

オーストラリア政府が設立した無党派シンクタンクの戦略政策研究所（ＡＳＰＩ）によると、中国は「千人計画」などの人材獲得プログラムを推進するため、世界６００カ所に事務所を設置している。最も多い米国には少なくとも１４６カ所に設置されており、ドイツ、オーストラリア、英国、カナダ、日本などにも拠点があるという。

中国は２００６年までには事務所の設置を始めていたものの、プログラムが大きく加速したのはここ数年だと報告書の著者アレックス・ジョスケ氏は指摘する。これまでに特定されている６００カ所のうち、１１５カ所以上が18年に設置されたという。

(https://jp.wsj.com/articles/SB11336382119500193639404586581320497325918)

この工作活動のポイントは「外部委託」「訪中手配」「地方レベル」の３つだ。

１つ目の「外部委託」だが、工作活動を下請け、外注することで、中国共産党や政府

の工作員が裏で糸を引くスカウト組織であることを見えにくくしている。前掲記事によれば、「委託先は企業、専門家、卒業生組織などの地元団体のほか、テクノロジーや教育関連の企業、大学の中国学生学者連合会など」に運営費と成功報酬を払って工作活動をさせていた。ここである程度人的なネットワークや信頼関係が構築されると2つ目のポイントである「訪中手配」へと駒を進める。

これは北朝鮮の独裁体制を礼賛するチュチェ思想のオルグ活動と同じ手口だ。チュチェ思想研究会にスカウトされた日本人は、ある程度「学習」が進むと訪朝を打診される。「北朝鮮は世界中のメディアに叩かれているが実情は違う。一回見てほしい。」と誘われるそうだ。もちろん、平壌は海外向けのプロパガンダとしてつくられたある種の「ディズニーランド」だ。ところが、この幻想を見せられた日本人は「北朝鮮は思ったほど悪い国ではない」という印象を持つようになる。こういったツアーはトランプ政権になって北朝鮮への制裁が厳しくなる以前には頻繁に行われていた。

これと同じように、千人計画で選ばれた学者も色々な理屈や大義名分を並べられ中国に連れていかれる。ごく短期間の「研究ツアー」なのに多額の報酬が出たり、現地では下にも置かぬ接待を受けたり、場合によってはハニートラップにかかったりして、訪中の間にズブズブの関係が築かれる。

３つ目のポイントは、「地方レベル」だ。前掲記事によれば、「人材獲得プログラムの80％以上が地方レベルで実行されており、国家レベルの7倍もの科学者を獲得するケースもある」そうだ。中央では各国政府の目に付きやすいため、中央から目の届きにくい地方でコソコソやっているわけだ。

オーストラリアでは、南東部ニューサウスウェールズ州が激しい浸透工作に遭っている。２０２０年6月、同州の州議会の有力議員の自宅や関係先が一斉捜索された。そのうちの一人が、野党労働党のシャオクエット・モセルメン議員で、同年4月まで州議会上院副議長を務めていた。モセルメン議員は武漢肺炎を巡る中国の対応を称賛していたことでも知られている。

公共放送ＡＢＣなどによると、捜査当局は、在シドニー中国総領事館の領事と東部ニューサウスウェールズ州議会のシャオクエット・モセルメン上院議員の政策顧問が共謀し、議員所属の野党・労働党に潜入して有権者に影響を与えようとした疑いがあるとみて捜査している。顧問は中国系豪州人で、モセルメン氏は中国寄りの発言を繰り返し「親中派」とみられている。

豪連邦警察は6月、顧問やモセルメン氏の自宅などを捜索。パソコンや電話機から、顧問が中国の外交官や在外公館職員と交わした電子メール、通話記録を差し押さえた。顧問側は、外交官の通信の保護を規定した国際条約違反として、捜索に不服を申し立てている。

疑惑について在シドニー中国総領事館は16日、声明を出し、「総領事館や当局者が潜入活動に関与しているとの非難は全く根拠がない」と反論している。

豪州メディアの中国特派員2人が今月、中国当局による身柄拘束の恐れが高まったことから緊急帰国した。豪州内では捜査に対する中国の報復が背景にあるとの見方が出ている。


(https://www.jiji.com/jc/article?k=2020091700752&g=tha)

全体主義国家はこうして我々の社会に浸透する。そして、自由で開かれた社会の弱点に付け込んで影響力工作を続けるのだ。

日本の学術界に浸透している影響力工作

そして、これは日本も他人事ではない。先ほど発言を引用した早稲田大学の岡田正則教授と言えば、日本学術会議会員の任命を拒否された人物だ。この日本学術会議が「千人計画」に事実上協力していたのではないかという疑いが持たれている。

また、日本から多くの研究者が中国に奪われ、その研究成果が軍事転用されるのではないかとの懸念も広がっている。

千人計画のリクルート拠点は、なんと日本にも46か所も存在しているのだ。オーストラリア戦略政策研究所（ＡＳＰＩ）のレポートがその筆頭として名指しするのが中国留日同学会（http://www.acajapan.org/）である。このレポートの中から、該当箇所を翻訳して引用する。

特定の人材育成ステーションを受け入れている上位10か国

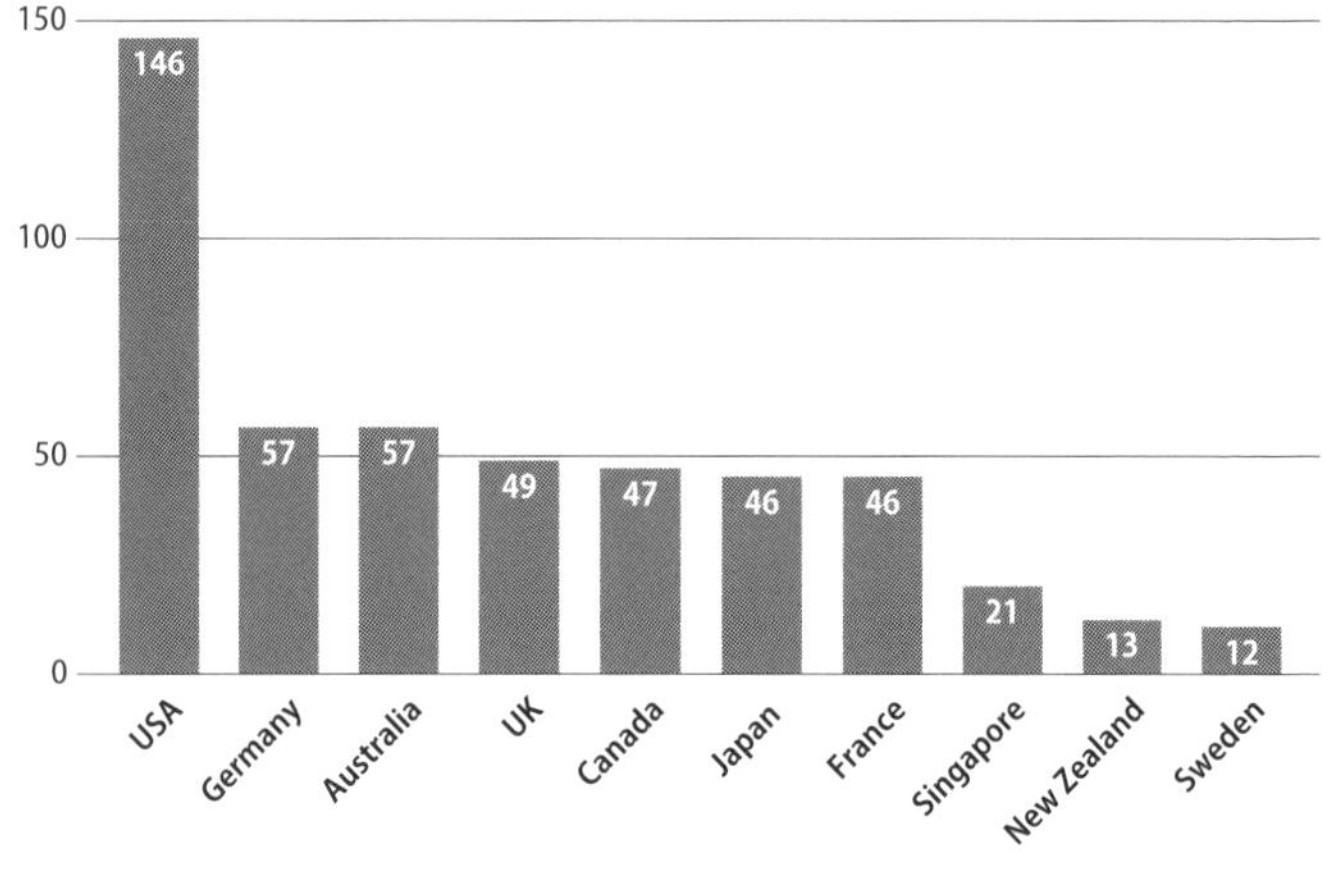

オーストラリア戦略政策研究所（ASPI）ホームページ
（https://www.aspi.org.au/report/hunting-phoenix）をもとに作成

日本での人材採用

中国留日同学会（All-Japan Federation of Overseas Chinese Professionals）は、在日中国人科学者・技術者のための主要な統一戦線団体である。１９９８年に中国共産党中央統一戦線工作部（ＵＦＷＤ）とその傘下の中国留学人員聯誼会（ＷＲＳＡ）の指導のもとに設立されたとされているが、これは実際にはＵＦＷＤの専門機関であり、ＷＲＳＡが海外との関係を持つ学者との交流と影響力を持つためのものである。

同連盟の会長は全員がＷＲＳＡや中国海外友好協会の評議員を務めている。同連盟は少なくとも８つの人材紹介所を運営しており、日本で人材紹介イベントを開催したり、中国で人材紹介博覧会に科学者を招待したりしている。鳩山由紀夫元首相は、ＷＲＳＡが初めて設置したＷＲＳＡ海外連絡ワークステーションの開所式に出席した。

(https://www.aspi.org.au/report/hunting-phoenix)

さらに恐ろしいことに、独立行政法人日本学生支援機構の中に中国留学人員聯誼会の日本支部がガッツリ組み込まれている。同機構は、主に学生に対する奨学金事業や留学

WRSAワークステーションのオープニングでの鳩山由紀夫前首相

オーストラリア戦略政策研究所（ASPI）ホームページ
（https://www.aspi.org.au/report/hunting-phoenix）より

支援・外国人留学生の就学支援を行う独立行政法人であり、文部科学大臣が管轄する特殊法人だ。その公式サイトの中に次のようなページがある。

留日同学会　https://www.studyinjapan.go.jp/ja/network/people/r-china/

「中国留日同学会は中国留学人員聯誼会に属しており、日本への留学後、帰国した人々と連絡を取るための重要な架け橋と絆になっています。」と説明しているが、その架け橋がスパイの架け橋ではシャレにならない。ＡＳＰＩが前掲のレポートで警告した点について日本政府はしっかりとした調査を行うべきだ。

中国共産党は心のさびしい人間に付け込むことを得意としている。千人計画においては、定年退職した科学者、技術者、高級官僚はいいカモだった。千人計画に参加した東京大学名誉教授で物理学が専門の土井正男氏はデイリー新潮のインタビューに答えて次のように述べている。

「現在は北京航空航天大学の教授として、専門のソフトマター物理学を教えています。

9年前に北京の理論物理学の研究所に呼ばれて連続講義をした際、知り合った中国の先生から『千人計画』に誘われまして」

土井氏が論文リストを送ったところ、中国政府から招聘を受けることになった。

「東大は辞めても名誉教授という肩書しかくれませんでしたが、北京の大学は東大時代と同じポストで、待遇も少し多いくらい用意してくれました。普段は学生相手に講義をしなくてもよいし、日本の公的な科学研究費（科研費）にあたる『競争的資金』にもあたりました。私は中国語を書くことができないので、申請書類は准教授が代わりに出してくれました。日本では科研費をどうやって取るのかで皆が汲々としている。そういう意味ではまるで楽園ですね。面倒なことをやらずに学問に没頭できて本当に幸せです」

https://news.yahoo.co.jp/articles/8488d523cd1e8dde5557da87bf2bdec7ba03f03d

土井氏に限らず、日本での待遇が悪ければ、より待遇の良い海外に活路を見出すのは当然だ。しかし、研究者の場合、それが頭脳流出につながり、安全保障のみならず、将来的な経済損失にもつながるから厄介だ。そういう意味で、財務省の緊縮財政は罪深い。

大学で研究者の待遇が悪化しているのは本当に大きな問題である。今日も、日本では待遇に不満な研究者が増え続けている。そして、彼らは全員ターゲットになり得る。

また日本学術会議についても大きな問題があることを指摘しておこう。この団体が長年日本共産党の影響下にあったのは事実だ。科学史・科学哲学の泰斗である村上陽一郎氏は次のように証言している。

日本学術会議はもともとは、戦後、総理府の管轄で発足しましたが、戦後という状況下で総理府の管轄力は弱く、七期も連続して務めたF氏を中心に、ある政党に完全に支配された状態が続きました。特に、1956年に日本学士院を分離して、文部省に鞍替えさせた後は、あたかも学者の自主団体であるかの如く、選挙運動などにおいても、完全に政党に牛耳られる事態が続きました。

今、思えば、そうした状態を見ぬ振りで放置した研究者や会員に大きな責任があるのですが、見かねた政府が改革に乗り出し、それなりの手を打って来ました。1984年に会員選出は学会推薦とすることが決まり、2001年には総務省の特別機関の性格を明確にし、2005年には、内閣府の勢力拡大とともに、総理直轄、実際には内閣府管轄の特別機関という形で、日本学術会議は完全に国立機関の一つになりおおせました。

出典：『学術会議問題は「学問の自由」が論点であるべきなのか？』(村上陽一郎　WirelessWire News)
(https://wirelesswire.jp/2020/10/77680/?fbclid=IwAR2zmLMNqj8FpMZzeF5zqyxWtd5m94QHZAybq-wFkA9O6YYnl8ZivsMpWv0)

F氏とは元農水官僚で日本共産党の公然の党員である福島要一という人物だ。昭和30年7月29日、衆議院行政監察特別委員会で自民党の山中貞則議員は日教組の教研大会の中身について質問した際、次のように述べている。

「しかもその中には明瞭に届出の共産党員もおられます。私どもとしてはそう思っているわけです。たとえば国分一太郎、福島要一という人、こういう人は届出党員であります。」

(https://kokkai.ndl.go.jp/?fbclid=IwAR3F0hAp_h4wD-DtcG9twQ_UTWqBSVP6hW45CEa5Y3wk2P4tJ-252iIlxyI#/detail?minId=102204280X01719550729&spkNum=237&single)

福島氏は共産党員や共産党系の民主科学者協会（民科）に所属する学者を組織して、学術会議の選挙で連続当選していた。菅総理大臣に学術会議の任命を拒否された候補者6人のうち、法学者3名（松宮孝明、岡田正則、小沢隆一）は民科の理事経験者である。そして、この学術会議こそが「軍事研究禁止」をごり押しし、科学者の学問の自由を奪ってきた。しかも、それは日本を危険にさらす行為に他ならない。例えば、日本がミサイル攻撃から国土を守る技術も彼らにすれば「軍事研究」だからだ。その一例を示そう。北海道大学が平成30年3月に防衛省からの資金提供を辞退した経緯を同大学名誉教授の奈良林直《ただし》氏は次のように語っている。

奈良林氏によると、採択されたのは船底を微細な泡で覆うことで水中の摩擦抵抗を減らす同僚の教授の研究で、実現すれば自衛隊の護衛艦や潜水艦の燃費向上と高速化が期待できる。

この技術は民間船にも応用できるデュアルユース（軍民両用）のため、奈良林氏は「民間船の燃費が向上すれば、二酸化炭素の排出量が減る。地球温暖化対策が叫ばれる時代の中で、優先すべき研究テーマだ」と語った。

北大は1年の期間を残し防衛省に辞退を申し入れたが、奈良林氏は学術会議の声明に伴い研究継続への圧力があったと指摘する。

同氏によると、28年9月に設立された軍事研究に反対する団体や学者らでつくる「軍学共同反対連絡会」は北大総長に対する面会要求や公開質問状の送付を繰り返した。同連絡会のホームページには「（北大が）私たちの運動と世論、学術会議声明を無視し得なくなったからで、画期的だ」との記載もある。

北大では推進制度への応募を模索した別の研究もあったが、こうした経緯を踏まえて応募は見送られたといい、奈良林氏は「学術会議の声明が錦の御旗になってしまった」と話した。

(https://www.sankei.com/politics/news/201027/plt2010270056-n1.html)

まさに平和を錦に御旗にした脅迫だ。乗っ取り戦争の起承転結の「起」のコンセプトを見事に融合させた素晴らしい作戦のように映る。もちろん、これを仕掛けられた日本としては大変迷惑な話だが。

あらゆる分野で展開する認知領域における戦い

『民間防衛』によれば、乗っ取り戦争はありとあらゆるドメインで仕掛けられている。例えば、スポーツ大会ですら極めて効果的な威嚇の場である。かつての社会主義圏の国々が、非人間的な特訓とドーピングを用いて、国際大会でメダルを大量に獲得していたことは記憶に新しい。このような実績は国威発揚と他国への威嚇の一石二鳥の効果があるのだ。

例えば、競泳男子自由形の孫楊（中国）は五輪に３度出場し、金メダル３個を獲得した。しかし、２０１８年９月に行われたドーピングの抜き打ち検査で、自身の血液検体の容器を破壊したことが、国際水泳連盟（ＦＩＮＡ）の内部文書で分かった。普通これが発覚したら永久追放だ。ところが、ＦＩＮＡはなぜか警告で済ませてしまった。どのような政治力が働いたかは不明だ。そして、孫楊は翌２０１９年韓国・光州で開催された世界選手権に出場し、男子２００メートルと４００メートルの自由形で２冠を達成している。この時、各国の選手は孫楊と表彰台に上ること、一緒に写真撮影することを拒否した。

ここまでして金メダルにこだわる理由はおわかりいただけるであろうか？　孫楊はスポーツをしているのではない。認知領域における戦争をしているのだ。孫楊が好むと好まざるとに関わらず、全体主義国家のスポーツ選手はそう仕向けられる運命にある。彼も犠牲者なのだ。

さらに、経済の分野においてこの手の威嚇はニュースとして喧伝されている。例えば、最近話題になった「日本は中国に完敗」系の話などもそれに当たる。典型的な記事を1つ紹介しておく。

日本が中国に完敗した今、26歳の私が全てのオッサンに言いたいこと
勝手に「終わり」とか言ってんじゃねえ
藤田 祥平（文筆家）

私はバブル崩壊の暗雲立ちこめる1991年に生まれた、失われた世代の寵児である。年齢は26歳。両親は大阪府のベッドタウンでそれなりに大きな中古車販売店を営んでいて、子供のころは金持ちだったが、いまは零落した。

（中略）

そうして1年ほどウェブ媒体で記事を書き続けた。専攻はビデオゲームと小説だが、注文があればなんでも受ける。

その甲斐あってか、とあるメディアから声がかかり、先月中国へ取材旅行を敢行した。取材の目的は、中国のヴァーチャル・リアリティ市場を調査することだった。その内容は、「電ファミニコゲーマー」たる雑誌にて掲載予定である。

この取材の最中、私は、自分の常識を根底から揺るがされた。

超巨大ＩＴ企業、テンセントのお膝元である深セン市――日本でいえばトヨタのお膝元としての愛知県のようなイメージだろう――に香港から入ったとき、もちろん想像していたような共産主義的な雰囲気もあったのだが、中心部に近づくにつれて、その印象はどんどん薄れていった。

負けたのだ、日本が。少なくとも経済的には。

（https://gendai.ismedia.jp/articles/-/53545）

藤田氏は深圳《しんせん》の摩天楼、ＱＲコード決済、タクシーの運転手が元気といった状況を見て、日本は経済的に中国に負けたと結論づけている。典型的な枚挙的帰納法であり、そのロジックは極めて雑だ。しかし、問題はそこではない。乗っ取り戦争の観点から言えば、「日本が中国に完敗」というヘッドラインが躍ることに意味がある。この記事だけではなく、この媒体だけでもなく、ありとあらゆる媒体に複数の記事が「日本完敗」というニュアンスのヘッドラインと共に繰り返し掲載されることに意味があるのだ。これは認知領域における戦いである。この領域で完全な優位性を確保するためにはネタが事実である必要などないのだ。

また、2020年6月18日のウォールストリートジャーナルには『「中国礼賛」すれば人気爆発？　TikTok投稿のコツ』という信じがたい記事が掲載された。その冒頭部分を抜粋する。

米テキサス州のソングライター、TJアサディイさん（23）を人気動画投稿アプリ「TikTok（ティックトック）」のスターに押し上げたのは、ダンスでも音楽でもなかった。4月に投稿した13秒間の「中国敬愛」動画が起爆剤になったとアサディイさんは考えている。

その動画では、中国国歌が鳴り響く中、アサディさんが中国国旗の前で習近平国家主席の写真を指さし、「私の大統領」と呼んでいる。

５月半ばには、アサディさんのファンは２０００人から９万人以上に膨れあがっていた。「このジョーク動画を投稿するまで、これほどの人気を集めたことはなかった」

ＴｉｋＴｏｋでは、(目配せしながら) 中国を賛美する動画が意外にも新たなトレンドとして浮上している。ＴｉｋＴｏｋは、新型コロナウイルスのパンデミック（世界的大流行）を背景に、人気がさらにうなぎ登りだ。

(https://jp.wsj.com/articles/SB12091428617238144673904586452520583014568)

ウォールストリートジャーナルの取材に対してＴｉｋＴｏｋを運営するバイトダンス社の広報担当者は中国礼賛を推奨していることはないと回答したそうだ。しかし、アメリカ当局はＴｉｋＴｏｋが中国の指示でコンテンツの検閲を行っているとの疑いで国家安全保障に関する調査を開始している。今のところ証拠は出てないが、実際のところはわからない。しかし、ここまでセコいやり方が威嚇として成立するのだろうか。このような冗談のような攻撃も含めて玉石混交の総力戦を挑むのがメイド・イン・チャイナの超限戦の特徴だ。

目的は日米同盟の弱体化

認知領域の戦争はありとあらゆるネタが使いようによっては攻撃手段となる。例えば、今回の米大統領選は不正選挙だとトランプ氏は訴え続けているが、これも中国の工作機関にとっては利用できる武器となる。

全体主義国家に対する非民主的だという批判に対抗するには、自由主義世界のリーダーであるアメリカの240年間の民主主義の実践と信頼を徹底的に貶める必要がある。今回、トランプ氏の言説に乗って、大統領に選出されたバイデン氏への信頼を貶めることができれば、それはある程度達成される。全体主義国家はこう言うだろう、「結局民主主義の国だって我々と変わらない」と。

日本国内でバイデン大統領を不正選挙で選ばれた偽物だと叫ぶことはさらに危険だ。本人は意図していなくてもそれは日米同盟に楔を打ち込むことになる。中国をはじめとする全体主義国家はこのタイミングをとらえて「バイデンは中国とズブズブだ！　欧州シフトは中国への政策を緩めるための口実だ！」と偽装アカウントを使ってＳＮＳで煽りまくるのだ。そして、「そうだ、バイデンは信用できない。だからアメリカは信用できない。日本は独立独歩の道を歩むべきだ！」と世論を煽動する。それが日本国民の多数派となれば「転」のフェーズまであと一歩だ。中国の目標は、日米同盟の破棄もしくは有名無実化なのだから。

なぜ中国は尖閣諸島の周りで警察ごっこはできても、占領はできないのか？　その理由を考えてほしい。中国はアメリカの反撃を恐れている。もし、反撃されて大ダメージを受けたら、習近平は中華皇帝としてのメンツが丸潰れとなる。中華皇帝は連戦連勝、無敗の大将軍でなければならないのだ。だからこそ、自分が少しでも負ける可能性があれば彼らは深追いしない。

もちろん、自衛隊単独でも中国軍に大打撃を与えられるかもしれない。しかし、アメリカ軍が一緒になって戦ってくれるなら、もっと高い確率でさらに大きなダメージを与えられることは間違いない。なぜならアメリカ軍は世界最強の軍隊であり、日本の自衛隊はその最強の軍隊と一体運用できる同盟軍だからである。つまり、日米同盟がある限り、中国が日本の独立を奪うことは不可能だ。

問題を大きくし解決させないことを目指す

では、中国は日米同盟に対してどのような攻撃を仕掛けるか？　まさにここで超限戦の出番が来る。陸海空という実体領域で勝てないなら、デジタルや認知の領域で勝負を挑むのだ。日本国内の反基地闘争を激化させ、アメリカ軍がまともに行動できないぐらいに大騒ぎをすれば、軍事力を使わずとも封じ込めができる。実際に米軍普天間基地の辺野古への移設を巡って、激しい反基地闘争が展開されたが、その際に道路は不法に占拠され、防衛省の職員は暴行された。日本のマスコミはこの暴挙をタブーとして報道しないばかりか、DHCテレビの『ニュース女子』がこの問題を取り上げた際に、BPOから勧告を出すなどして徹底的にこの事実が広まることを妨害した。

彼らは問題が解決することを望んでいない。反基地闘争、慰安婦問題、徴用工問題、原発運動、アイヌ問題……これらを主導する活動家のコアな人々は問題の解決よりも、問題を大きくし解決させないことを目指している。そうすることで、日本国内の内部対立を煽り、政府の信頼を失墜させることができるからだ。

しかし、最近ではこれら「左からの攻撃」に加えて、「右からの攻撃」という新たな手段も加わったようだ。２０２０年1月、武漢肺炎を巡るパニックが始まった当初、一般的には右寄りな論客として知られている人々が、中国からの渡航制限を強硬に主張し、安倍政権を徹底的に批判した。

度を越した政府批判とその影響力の大きさは、間違いなく北京のデータベースに記録されただろう。彼らの感情に火をつけるフェイクニュースをその周辺に重点的に流せば「釣れる」と思われたに違いない。元々ズブズブだった左のお友達に加えて、右側からも頼りになる協力者を得たと思っているのではないか。右側の協力者はフーバーの五分類において一体どこに分類されるのか、ぜひ考えてみて欲しい。

日本人の民度が試される超限戦での戦い

一つだけ希望の持てる話をしよう。

アメリカのピュー・リサーチ・センター（Pew Research Center）が10月6日に発表した世界的な世論調査によると、日本における対中感情は過去最高レベルに悪化している。

日本における中国への評価

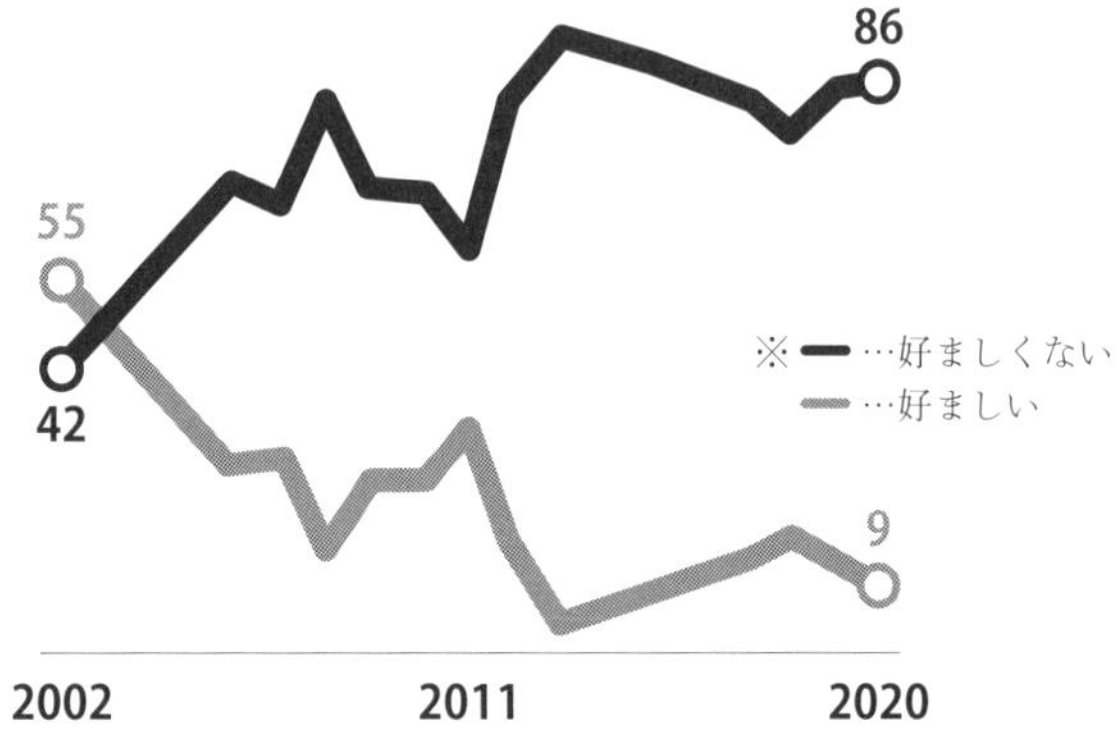

https://www.pewresearch.org/global/2020/10/06/unfavorable-views-of-china-reach-historic-highs-in-many-countries/をもとに作成

しかも、中国を好ましく思わないという数値は2002年以降一貫して上昇傾向である。日本を威嚇するために流布した「日本は中国に完敗」というメッセージはむしろ逆効果だった可能性すらある。そして、この強い輿論に押されて政治家が変わり始めた。

2020年11月24日、訪日した中国の王毅外相は共同記者会見の場で尖閣諸島の領有権を主張した。その発言は以下のような極めて不遜なものだったそうだ。

ここで1つの事実を紹介したい。この間、一部の真相がわかっていない日本の漁船が絶えなく釣魚島（＝尖閣諸島の中国名）の周辺水域に入っている事態が発生している。中国側としてはやむを得ず非常的な反応をしなければならない。われわれの立場は明確で、引き続き自国の主権を守っていく。敏感な水域における事態を複雑化させる行動を避けるべきだ

(https://news.yahoo.co.jp/articles/f0019e1b2fb23893937f009aca54aa10a8215802)

このような不適切で挑発的な発言に対して、茂木外相は現場ですぐに反論しないばかりか、へらへらと笑っていたという。何という体たらく。とはいえ、昔ならこの問題はマスコミにも取り上げられず、大人の対応としてスルーされていたことだろう。

しかし、今回は違った。11月26日に開かれた自民党外交部会では、この問題が大きく取り上げられ、明確に反論すべきだとの意見が相次いだ。同日、加藤官房長官も定例記者会見で、王毅外相の発言を取り上げ、「日本政府として全く受け入れられない」と述べた。そして、11月27日の記者会見で茂木外相は以下のように釈明した。

私（大臣）からは、尖閣諸島周辺海域を含みます東シナ海情勢、そして日本産食品の輸入の規制、更には邦人拘束、南シナ海情勢、香港情勢、ウイグルについて、我が

国の立場を明確に伝え、中国側の具体的な行動を強く要請するとともに、中国が、地域・国際社会の諸課題について、責任を果たしていくべきであると、こういった我が国の立場・考え方もしっかり伝えたところであります。

(https://www.mofa.go.jp/mofaj/press/kaiken/kaiken6_000064.html#topic2)

武漢肺炎で延期となった習近平訪日は次の日程が決まらないまま棚ざらしになっている。実質中止といっても過言ではない。中国は脅したり、すかしたりして日本を揺さぶってはいるが、却って日本が目覚めるきっかけをつくってしまったのかもしれない。工作活動は時として意図したものと逆の結果を出すことがある。実際につい2年前まで親中国家だったオーストラリアも、世界を代表する反中国家へと変貌を遂げているではないか。

とはいえ、全体主義国家を侮ってはいけない。この反中輿論もうまく転がせば利用できると考えるのが謀略家の発想だ。どの国が仕掛けたのかは知らないが、トランプファンが高じて熱狂的な陰謀論者に転換していった姿は驚愕に値する。同じような土俵際のマジックが日本に対して発動するやもしれない。気を付けるに越したことはなさそうだ。

ここで本章の結びの代わりにスイス政府編『民間防衛』から次の一節を引用する。

スイスにはまだ自由がある

政府の安定性は、わが国の政治における基本的な要素の一つである。国民が団結しており、強力であるときに、政府は、初めて、公共の福祉のための政策を有効に推し進めることができるということは、国民自身がよく知っている。だから、わが国の将来を背負っている中心人物に疑惑の目を向けさせることを狙っている人々の策略などによっては、政府に対するわが国民の信頼の念はゆるがない。特に危険が差し迫ったときは、敵に対して共同戦線を張ることが必要である。

スイス国民は、同時にスイスの兵士であり、国民はそれぞれの義務を遂行できるよう各自が武器を持っているが、国民の義務とは、武器を用いることが第一なのではなく、まず、その精神が問題である。外国から国を守るため、および国内の秩序を保つための、岩のように固い意志を持つ必要があり、その意志が強固であるときにのみ、われわれは持ちこたえることができるのである。

政府に対する尊敬の念は、スイス国民の精神的態度の中に現れている。国民の支持は、連邦および州を初めとするすべての当局者に向けられなければならない。上下を問わず、すべての国民が、ひとしく確固たる決意を持つべきである。

われわれは、いつまでもスイス人でありたいし、また自由でありたい。スイスの独立は、われわれ国民の一人一人にかかっている。

「われわれは、いつまでも日本人でありたいし、また自由でありたい。日本の独立は、われわれ国民の一人一人にかかっている。」

この言葉を肝に銘じよう。

※1　『経済学者たちの日米開戦：秋丸機関「幻の報告書」の謎を解く』(牧野 邦昭　新潮選書)

※2　https://twitter.com/ShinodaHideaki/status/1334124360756465665

終章　見えない侵略に備え、私たちにできること

ここまで進んでいた巧妙かつ狡猾な浸透工作

本書の執筆も終盤を迎えた２０２０年12月14日、とんでもないニュースが飛び込んできた。このニュースを日本で伝えたのはテレビ東京のみである。非常に大事なニュースなので、放送内容をすべて文字起しして引用する。

オーストラリアのメディア、オーストラリアンは14日、中国共産党員１９５万人分の情報が記載された公式のデータベースを入手し分析した結果、各国が上海に置いている公館や世界的企業に多数の中国共産党員が勤務している実態が判明したと伝えました。

データベースは反体制派の内部告発者から上海のサーバーを通じて外部に提供されたもので党員の生年月日や民族、党内の地位などが記録されているということです。オーストラリアンの調査では上海にあるオーストラリアやアメリカ、イギリス、ドイツなどおよそ10の総領事館が、中国政府が運営する人材派遣会社を通じ、政府関連の上級専門家や経済顧問、幹部アシスタントなどとして党員を雇用してきたといいます。防衛事業を展開するアメリカのボーイング、新型コロナウイルスワクチンを開発するアメリカのファイザー、イギリスのアストラゼネカにも中国共産党員が勤務していることが確認されたとしています。外交専門家は多数の党員雇用で機密情報の漏えいなど安全保障上の懸念があると警告しています。

出典：豪メディアが世界の中国共産党200万人のデータ入手
各国公館や世界的企業で幹部などとして勤務（2020年12月14日）
(https://youtu.be/et4FqmanWN8)

このデータベースによれば、中国共産党のメンバーは現在も世界中で生活し、活動している。そしてこのスパイたちはデータベースに登録されていて、その成果物は効率的に吸い上げられているようだ。おそらくこれらはすべて記録され、分析されていることだろう。

中国に進出した外国企業の内部に、中国共産党の支部が設置されていることはすでに公開情報だ。テレビ東京が引用したオーストラリアンの告発記事によればその数は7万9000か所に達している。彼らが、ひとたび国家から知的財産の盗用や経済スパイを命じられた時、所属する企業の就業規則を優先させこれを断るだろうか？　これら共産党員は自分のキャリアや命どころか、一族郎党をすべて人質に取られている。この状況で命令に逆らうことはかなり厳しい。例えば、こんな例もある。

新疆ウイグル自治区出身のハリマト・ローズさん（46）。15年前、大学院留学のために来日した。日本で建設関連の仕事をした後、3年前から千葉県でウイグル料理店を営んでいる。

おととし、平穏な暮らしが一変した。妻の親族3人が、次々と当局の収容施設に入れられたという情報が入ったのだ。（中略）

先月（5月）、故郷の兄からビデオ電話がかかってきた。兄は、見覚えの無い場所に座っていて、中国政府を批判するデモ活動に参加したかどうかを繰り返し尋ねてきた。不審に思ったローズさんは、兄に内緒で、別の携帯電話を使ってやりとりを撮影していた。

ローズ：「今、どこにいますか。周りを見せてください」

兄：「私は大丈夫だ。心配ない」

ローズ：「隣に誰かいるの？」

兄：「いや、誰もいない。（携帯電話のカメラで周囲を見せる）ほら、心配しないで」

しかし、会話を終えようとしたその時、画面に見ず知らずの男が突然現れ、話しかけてきた。

男
「中国は永遠に君の祖国だ。私はあなたと友達になり、いろいろな話をしたい」

男は、政府組織の所属とだけ名乗り、在日ウイグルの団体の活動情報を求めた後、「再び連絡する」と伝えて電話を切った。

(https://www.nhk.or.jp/kokusaihoudou/archive/2020/06/0629.html)

また、2020年9月、中国在住のオーストラリア人記者2人が中国当局者に自宅に押し掛けられた上、「国家安全保障上の事件」に関する事情聴取を受けるよう求められるという事件が発生している。この2人の記者は豪政府および大使館の迅速な対応により難を逃れ無事帰国したが、一歩対応を間違えれば長期間拘束された可能性もあった。この時、マシュー・カーニー記者は14歳の娘も取り調べの対象だと当局に告げられたという。

自分とは無関係な家族や親戚を人質に取るやり方はまさに反社会勢力そのものである。ところが全体主義国家はそれを国家権力でいとも簡単にやってしまうのだ。我々が相手にしているのはそれほど恐ろしい、血の違う連中であることを自覚しなければならない。そして、彼らは195万人もの工作員を世界中に放っているのだ。

もちろん、今回暴露されたデータベースに載っている人物がすべてスパイ活動をしていたという証拠はない。しかし、安全保障の専門家でなくても、中国共産党の党員を雇う事の危険性について説明はいらないであろう。例えば、三菱重工の中国支社に党籍を隠した中国共産党員が勤務していたとしたら、それが清掃員だったとしても警戒に値する。特に、機密情報漏洩のリスクは厳重に警戒すべきだ。

実際に中国共産党はありとあらゆる手段で情報を盗もうとしてきた。2020年8月

21日、ドイツの情報機関、連邦憲法擁護庁は「中国に進出したドイツ企業はゴールデンスパイによってひそかに探られている可能性がある」という警告を発した。日本経済新聞は次のように報じている。

> ゴールデンスパイとは、米国の情報セキュリティー会社、トラストウエーブ社が発見したスパイウエアだ。中国で活動する企業に導入が義務づけられている税務ソフトをインストールすると、このスパイウエアが知らぬ間に入り込み、第三者にシステムを操られてしまう恐れがある。
>
> トラストウエーブ社によると、スパイウエアは税務ソフトを導入して2時間たってから通知もなくインストールされるため、発見するのが難しい。スパイウエアは2つのプログラムに分かれていて、どちらかを消しても自動的に復活してしまう。税務ソフトを削除しても、スパイウエアは残るという巧妙さだ。

中国当局公認の税務ソフトを提供するのは、航天信息（アイシノ）と百望雲（バイウァング）という2つの中国企業。そのいずれのソフトからも同様のスパイウエアが見つかったところに問題の深刻さがある。独当局が警告したように、中国で活動するすべての企業がゴールデンスパイによる情報窃取リスクにさらされている。

(https://www.nikkei.com/article/DGKKZO67178650Q0A211C2EA1000)

企業に共産党員を送り込むだけでなく、税務ソフトに仕掛けをして情報を抜いていたとは。しかも、この税務ソフトは中国に進出した企業に対して、当局が導入することを半ば強制的に推奨していたものだ。限りなくクロに近いグレーである。

もちろん、これらの工作に中国共産党および中国政府がどれぐらい関与していたかは確たる証拠はない。しかし、民主主義国家の刑事司法手続きの考え方で推定無罪とするのは非常に危険である。全体主義国家は平気で嘘をつく。明白な証拠が出てもそれを否定する。ここまで読み進めてきた読者であれば、彼らが歴史上繰り返してきた違法行為とその傾向は理解できるはずだ。この件については性悪説で臨まねばならない。

行き過ぎた抵抗運動は利敵行為につながる

しかし、ここでもひとつ注意が必要だ。なぜなら、その性悪説が行き過ぎてしまうと逆にこちらが不利になるからだ。具体的にいえば、その性悪説はヘイトや偏見であってはならない。もし、それがヘイトや偏見であると認定されてしまうと、相手に差別だと反論する隙を与えてしまう。ポリコレというのは厄介なもので、使い方によっては相手を倒す武器になるが、逆に相手に奪われてこちらを攻撃する武器にもなりうる。この点について、スイス政府編『民間防衛』は次のような戒めの寓話を掲載している。

ある村にいる占領軍の兵士たちが、彼らの隊内で何かを祝って騒いでいた。（中略）そして、教会を荒らし、礼拝に用いる品々を破壊し、聖なる櫃に対しても不敬を働き、安置してある像を地上に投げ出した。

彼らが教会から出た時、一発の銃声が響いて、仲間の一人が倒れた。彼らはさらに怒り狂って、村の当局者に対し武器を持っている男をみんな建物の入り口に集めるように命じた。村の責任者が彼らに代わって名乗り出たところ、兵士たちは彼を射殺し、さらに、みずから犯人を追及しはじめた。やがて20名ばかりの村人が教会に閉じ込められた。

軽機関銃の一せい射撃が聞え、こうして村の人々は、約20人の無実の人々の身に降りかかった運命を知らされたのである。さらに、村には火が放たれ、女子供は逃げまどった。

これら犠牲者の血は無益に流されてしまったことになる。このように、一人の愛国者の怒りの行動は、われわれの不幸を増すだけに終わってしまうだろう。

多くの人々が殺されたこの村の悲劇は、だれの役にも立たない。われわれが効果的な武力抵抗作戦を始める日が来たら、この人たちはわれわれにとって非常に必要だったのに。

われわれの力を消費しないようにしよう。われわれの勇気を無駄に使わないようにしよう。待ちに待つことが大切だということを、だれもが理解せねばならない。無分別な怒りの行動を理性によって抑制しよう。

理性の前に感情を殺せ！

怒りを抑えよ！
行動を起こすにはまだ早すぎる！

（前掲：『民間防衛』Ｐ２８７）

この寓話はスイスの国土の大部分が敵国によって占領されている状態を前提として書かれたものだ。だから、今の日本には多少当てはまらない部分もあるかもしれない。しかし、今は銃ではなくポリコレという武器がある。日本がヘイトの横行する差別国家だと認定されれば、敵はそれを口実に容赦ない攻撃を仕掛けてくるだろう。実際にアフガニスタンで起こったオーストラリア軍の不祥事は中国共産党に徹底的に利用されてしまった。戦場での残虐行為でなくても、差別的な発言、偏見に満ちた発言は容易に相手に利用されることを忘れてはならない。

逆に、愛国者を偽装し、国際的に見て誰でもわかるようなヘイト発言を繰り返す人物には注意が必要だ。例えば、真珠湾攻撃の日に旭日旗とハーケンクロイツを並べてデモ行進することは利敵行為以外の何物でもない。８月15日に旧日本軍のコスプレをして靖国神社を徘徊する連中も同罪だ。

この状況を海外の左派メディアが写真付きで報じれば、日本にはまだ危ない連中が沢山いるというイメージが出来上がるだろう。これを使って中国共産党は「日本は反省が足らない。再びアジアを侵略しようとしている。」とプロパガンダすることができる。そして、総理大臣が靖国神社を参拝することと結び付けて、内政干渉の大義名分とするのだ。まさに利敵行為。スイス民間防衛の寓話が指摘する通り、「一人の愛国者の怒りの行動は、我々の不幸を増すだけに終わってしまう」のだ。

日本人の抵抗運動は日本に仕掛けられている攻撃に即した効果的な反撃でなければならない。本書で繰り返し述べてきた見えない戦争とドメインの話を思い出してほしい。いま、中国は尖閣での警察ごっこをはじめとした、海上のクリーピングインベージョンを仕掛けている。この実体領域の戦いに一般国民が加勢するのは難しい。

これに対してデジタル領域に仕掛けられる戦争であれば、一般企業や個人でも防衛側として加勢することが可能だ。例えば、中国製の安いルーターは買わないとか、セキュリティソフトをしっかりと導入するとか、中国製のフリーソフトはインストールしないといったことは誰でもできる「国防活動」である。

さらに、認知領域については影響力工作という形で一般国民が直接その攻撃に晒されている。しかも、日本の左派メディアもその片棒を担いでいるし、実際にこの領域で敵国の兵士として戦う裏切り者の日本人すらいる始末である。さらに言えば、この裏切り者の大多数には、裏切っている意識すらない。フーバーの5分類の5番目、デュープスが全体の9割以上だからだ。

本書の読者諸君が主に戦うべき戦場はこの認知領域である。戦争はすでに始まっている。「このままでは戦争になってしまう」という左派メディアの認識は甘い。認知領域においては砲弾の代わりに偽情報が飛び交い、実際に日本国民がこれに被弾しているのだ。

本書を読み進めた人は、認知領域において歴史上どんな攻撃がなされ、今何が行われているか十分に理解したと思う。全体主義国家の意図を挫くには、この攻撃のダメージを限りなくゼロにしなければならない。

しかし、そのためには知識と教養が必要だ。ところが、この知識と教養を奪うための工作はかれこれ75年も続いてきた。この点について、改めてスイス政府編『民間防衛』から引用する。引用する部分はスイスの大部分を占領した占領軍が、スイス人の抵抗力を削ぐために行う工作について記述したところだ。

裏切り者にまかせられた宣伝省は、あらゆる手段を用いて、われわれに対し、われわれが間違っていたことを呑み込ませようと試みる。

彼らは、レジスタンスが犯罪行為であり、これは我が国が強くなるのを遅らせるだけのものだということを証明しようとする。

占領軍の国語の学習がすべての学校で強制される。

歴史の教科書の改作の作業も進められる。

新体制のとる最初の処置は、青少年を確保することであり、彼らに新しい教養を吹き込むことである。

教科書は、勝利を得たイデオロギーに適応するようにつくられる。

多くの国家機関は、あらゆる方法で青少年が新体制に参加するようそそのかすことに努める。

彼らを、家庭や、教会や、民族的伝統から、できるだけ早く引き離す必要があるのだ。彼ら青少年を新体制にとって役立つようにするために、また、彼らが新しい時代に熱狂するようにするために、彼らを洗脳する必要があるのだ。

そのため、新聞やラジオ、テレビなどが直ちに宣伝の道具として用いられる。個人的な抵抗の気持は、新国家の画一的に統一された力にぶつかって、くじかれてしまう。占領軍に協調しない本や新聞には用紙が配給されない。

これに反して、底意のある出版物が大量に波のように国内にあふれ、敵のイデオロギーは、ラジオを通じて、また、テレビの画面から、一日中流れ出していく。それは、あるいは公園の樹木に仕かけられたスピーカーから、あるいは街を歩く人に映像の形で訴えられ吹き込まれる。

だれでも公式発表以外の情報は聞けないように、聞いてはならないようになる。教会は閉鎖されないが、そこに通う人たちは監視される。こういう人たちは容疑者扱いなのだ。精神的な価値を示唆することは一切御法度になる。

（前掲：『民間防衛』Ｐ２８９）

この記述はまさに敗戦後の日本の状況に重なる。いわゆる平和教育そのものだ。

ＧＨＱはアメリカ軍主体であり、後に日本の同盟国となるのに、なぜこんな日本弱体化政策が採用されたのか？　しかも、アメリカ主導で行われたこれらの教育はハッキリ言って社会主義、共産主義を礼賛するような洗脳工作である。なぜアメリカが？
実はＧＨＱの中身は真っ赤だった。ＧＨＱにいたアメリカ人の中には、非合法化されたアメリカ共産党の秘密党員、フェロートラベラーおよびソ連のスパイが大量に配置されていたのだ。この点について情報史学に詳しい江崎道朗氏は次のように述べている。

これまでは「戦勝国のアメリカが、日本の民主化のために対日占領政策を立案した」といわれてきたが、ヴェノナ文書の公開とその研究の結果、「ルーズヴェルト民主党政権に潜り込んだコミンテルンの工作員たちが対日『敗戦革命』計画を立案していた」側面が明らかになりつつあるのだ。
しかも、この対日「敗戦革命」計画に多大な影響を与えていたのが、第二次世界大戦中、延安を本拠地にしていた中国共産党と野坂参三であった。（中略）
このようにしてアメリカと中国で対日「敗戦革命」の準備が周到に進められていたのに対して、日本政府と軍幹部は「右翼全体主義者」たちによって主導され、「国体護持」の名のもと、反米親ソ政策を推進し、進んでソ連の影響下に入ろうとしていた。
日本が終戦に際してこだわったのが「国体護持」であった。

驚くべきことに、彼ら「右翼全体主義者」にとって「国体護持」とは、「天皇制」のもとで、ソ連と友好関係を結ぶ社会主義政権を樹立することも許容範囲であったのだ。それは、ソ連や中国共産党の「同盟国」になることを意味した。
（前掲：『日本占領と「敗戦革命」の危機』）

敗戦革命から国を救うのは経済成長と伝統の尊重

日本の敗戦直前、アメリカの中にいるコミンテルンのスパイは中国共産党と野坂参三（日本共産党の大幹部）の指導に従い敗戦革命を計画していた。本来ならそれと対立関係にあるはずの日本の右翼全体主義者もソ連や中国共産党の「同盟国」になることを画策していた。まさに日本は左右両面から挟撃され、2000年以上の歴史に終止符を打とうとしていたのだ。この恐ろしい陰謀から日本を救ったのは昭和天皇とその忠臣たちである。詳しくは前掲書または、江崎氏の別の著作『天皇家　百五十年の戦い』（ビジネス社）を読んでほしい。

いずれにしても、危うく敗戦革命によって日本は日本でなくなるところであった。しかし、敵も簡単には諦めない。1947年のゼネストが失敗に終わっても、形を変えた敗戦革命運動は続いた。この時期に洗脳された青少年が1960年代に大暴れした安保闘争、この後続く極左暴力集団のテロ行為、謀略は幾度となく仕掛けられていたのだ。

戦争直後に生まれ、平和教育で純粋培養された青少年たち（団塊の世代）は現在70代になろうとしている。三つ子の魂百までとはよく言ったもので、60年安保、全共闘、PKO反対から民主党政権の誕生まで、この世代は日本の左派勢力の原動力となってきた。そして最後の力を振り絞って2015年の安保法制の時には大規模な反対運動を繰り広げた。

ところが、安保闘争の時と同じように彼らは再び敗北した。しかも、彼らが担ぎ出した若者たち（SEALDs）は公安の監視対象団体となってしまった。将来のある子どもたちを巻き込むのもいい加減にしてもらいたいものだ。

第二次安倍政権は団塊の世代の左派にとっては宿敵だった。1960年、彼らが反対運動を繰り広げた時の総理大臣は岸信介氏であり、安倍晋三氏の祖父に当たる。共産主義者は進歩的な考えを持っているはずなのに、血筋に対して異常なほどこだわりを持っているのだ。

毛沢東は文化大革命の際に、反革命の親からは反革命の子どもが生まれるといった趣旨の発言を繰り返し、実際に何の罪もない子どもたちが粛清の対象となった。1960年代に毛沢東から授かった「造反有理」という言葉をスローガンに活動していたこの老人たちも、基本的には同じ偏見に囚われていたようだ。差別を無くせと主張する左翼老人たちが、血筋による差別を行い、安倍総理に対してありとあらゆる罵詈雑言を浴びせたことを忘れてはならない。これこそが左翼の本質なのだ。

しかし、安倍総理は内閣支持率を大きく減らしながらも安保法制を成立させた。そして、マスコミの異常な偏向報道によって一時的に悪化した支持率もやがては元に戻った。団塊世代の左翼老人たちは、自分たちが根本的に間違っていたことを思い知るべきだ。なぜなら、エリートが前衛となって社会の革新を導くというのは極めて思い上がった発想だからだ。そして、そんな上から目線の老人たちに追随する若者は少ない。

2012年の第二次安倍内閣成立以降、若者が左派政党を支持しない傾向が顕著になってきている。GHQに潜り込んだソ連や中国共産党のスパイたちにとって、これは大きな誤算だったに違いない。左派メディアはこれを若者の保守化などと呼んで批判するが、彼らの認知は見たいものだけを見ようとして歪んでいるのだろう。

年代別内閣支持率

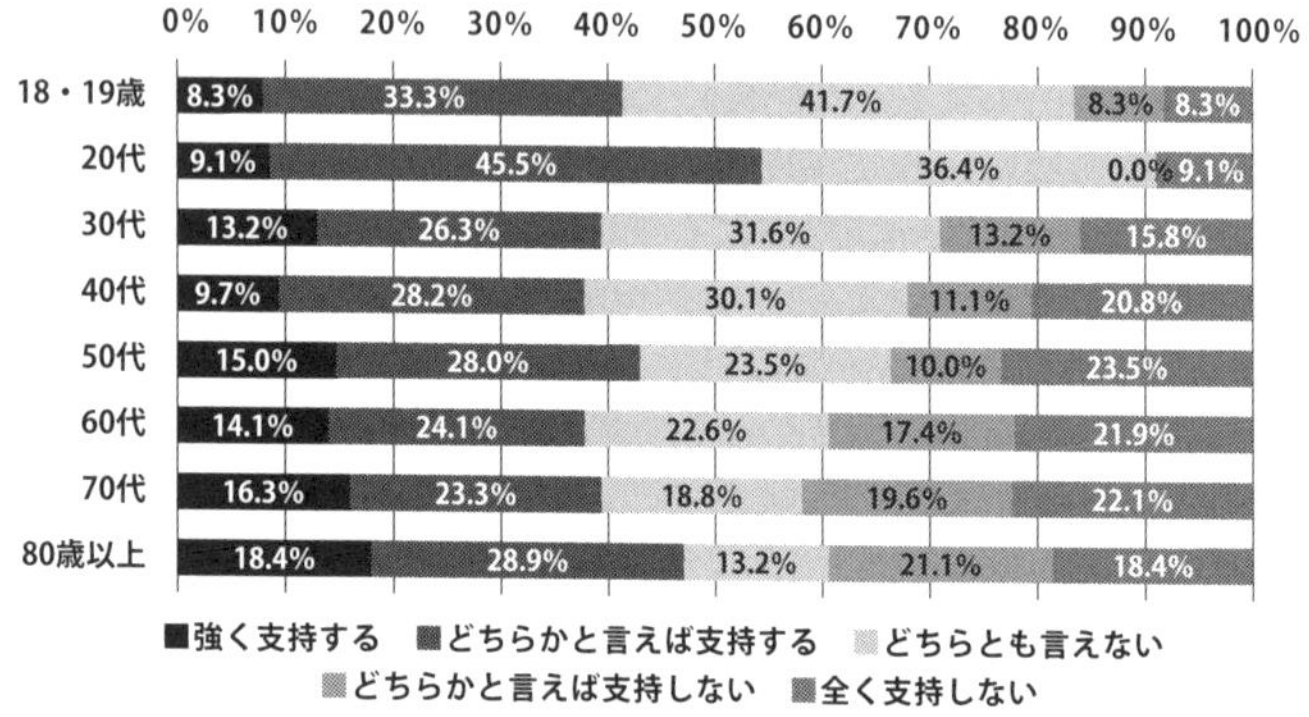

https://go2senkyo.com/articles/2020/09/25/54658.htmlをもとに作成

このグラフを見ればわかる通り、自民党政権に対する不支持が多いのは60代以上の年代だ。50代から下に行けばいくほど不支持は減って支持が増える。安倍内閣から菅内閣にバトンタッチした今でもこの傾向は全体として変わらない。もちろん、立憲民主党は野党第一党だが、政権を取る気は全くなく、団塊世代相手のパフォーマンスをして議席の維持ばかり考えている「生活クラブ」と化していることも一つの原因だろう。実際に、立憲民主党の支持者は団塊の世代を中心とする高齢世代に大きく偏っている。

若者が安倍政権とそれを引き継いだ菅政

権を支持する理由は簡単だ。曲がりなりにも安倍総理はアベノミクスで経済を立て直した。端的に言えば失業を減らして、働き口を増やした。２０１２年末から始まったアベノミクスは足掛け8年にもわたって続いている。アベノミクス初期に就職した若者たちは30歳前後になった。彼らこそが自民党政権を支持する若者の中心世代なのだ。安保闘争に始まる学生運動が高度経済成長によって打ち破られたのと同じように、アベノミクスによって左派勢力の野望は打ち砕かれた。経済失政さえなければ、自由で開かれた社会には敵の浸透を許さない強靭さがあるのだ。日本はここまで徹底してやられ放題、工作され放題だったにもかかわらず、敗戦革命が防がれた理由はまさにこれだ。経済政策こそがこの国を救うのだ。

そして、もう一つ。日本には２０００年以上続いた伝統がある。明治天皇は御誓文の中で、天地神明に誓い日本を新しい時代に適応させるべく自分が先頭に立つと宣った。

「五箇條の御誓文」意訳（口語文）

一、広く人材を集めて会議を開き議論を行い、大切なことはすべて公正な意見によって決めましょう。

一、身分の上下を問わず、心を一つにして積極的に国を治め整えましょう。
一、文官や武官はいうまでもなく一般の国民も、それぞれ自分の職責を果たし、各自の志すところを達成できるように、人々に希望を失わせないことが肝要です。
一、これまでの悪い習慣をすてて、何ごとも普遍的な道理に基づいて行いましょう。
一、知識を世界に求めて天皇を中心とするうるわしい国柄や伝統を大切にして、大いに国を発展させましょう。

(https://www.meijijingu.or.jp/about/3-3.php)

日本の國體は環境の変化、国際情勢の変化、人々のライフスタイルの変化に適応する形で、2000年以上受け継がれてきた。天皇の住まいも奈良から京都、そして東京に移り、お召しになる衣装も黄櫨染御袍《こうろぜんのごほう》から燕尾服まで時代やTPOに合わせて変わっている。しかし、國體の本質部分、つまり、天皇と国民の関係は何も変わっていない。天皇は国民のために祈り、国民は天皇に感謝する。この美しい信頼関係は明治維新でも、大東亜戦争敗北でも変わることがなかった。

とはいえ、日本人が戦後すぐに仕掛けられた記憶の書き換えから、一時的な記憶喪失になっていたことは確かだ。それはまるで漫画『進撃の巨人』に登場する「始祖の巨人」が人々の記憶を操り偽の記憶を刷り込むかのようなものだった。ところが、団塊の世代に代表されるごく一部の日本人の記憶を書き換えることはできても、1億人全員の記憶を完璧に書き換えることはさすがにできなかった。

明治生まれだった私の祖母は常々言っていた。

「大東亜戦争で一番悪いのはソ連だ。日本が降伏することを決めてから満洲に攻めてきた。あんな汚いやつらはいない。」

子どもの頃、共産党の先生にオルグされた私は、日本はそれ以上に酷いことをしたんだからソ連にそれぐらいやられても仕方ないと思っていた。しかし、これは完全な間違いだった。経済学を学び歴史教育で習ったことに疑問を持ち、偉そうに政治批判をしている日本共産党が言行不一致で説明もなくコロコロ主張を変えていること、さまざまなことが「アリの一穴」となって、私は事実を追い求めるようになった。そして、前述の通り、大人になってから自らこの洗脳を解いた。

日本が認知領域において完敗しなかったのは、私と同じような体験、思想遍歴を持つ人々が増えてきたからだと思う。そして、ゆとり教育によって学校の支配力が低下し、さらにインターネットの登場によってマスコミ以外の情報が瞬時に手に入るようになったことの影響もあるだろう。

ちょうど私が経済学の勉強を始めたのが1998年ごろからだった。もしインターネットがなければ、さまざまな文献を探し当てるのに時間を浪費したであったろうし、知識のアップデートのペースもずっと遅かったと思う。

現在は当時より回線速度は上がり、ありとあらゆる情報がネット上に存在する。例えば、オーストラリアのシンクタンクが中国のスパイ活動について書いたレポートが即座に読める。従来型の工作活動は非常にやりにくい時代になったことは間違いない。

しかし、敵もさるものである。本書でもこれまで述べてきた通り、中国、ロシア、北朝鮮、イランなどはサイバー部隊の強化に力を入れていて、その攻撃は規模、強度ともに増強されつつある。アメリカの行政機関が不正アクセスによりメールを傍受され、フォーチュン500社に選ばれる大企業の9割がハッキングの被害に遭い、巨大インターネット企業にも常にサイバー攻撃が行われるのは、これらの勢力と無関係ではないだろう。

さらに、サイバー空間から認知領域に対して影響力工作も頻繁に行われるようになった。米大統領選挙が中国やロシアの干渉を受けていることは周知の事実だ。さらに、SNS上に真偽不明の情報を流し、それを指摘すればヘイトだ、レイシストだとレッテル貼りをして相手を黙らせる。そんなポリコレを悪用した手法も横行している。我々は常に見えない戦争に囲まれ、知らないうちに巻き込まれているのだ。

我々が最も恐れるのは知らないうちにこの戦争に負けてしまうことである。だから、一番大事なことはこの戦争の存在を知ることだ。敵を知り己を知れば百戦危うからず。まさに孫子の兵法の指摘するように、敵の手口を知ることからすべてが始まる。本書を最後までお読みいただいた読者には、もうこの戦争が見えるようになっているのではないか？

知識をアップデートして見えない侵略に備えよ

この戦争が見えるようになったら、日本のためにこの戦いにぜひ加勢してほしい。もちろん、加勢とは中国や北朝鮮に対してヘイトスピーチを振りまくことではない。まずはサイバーセキュリティについてしっかり理解し、手間とコストをかけて情報漏洩を防ぐことから始めよう。単純な文字列や誕生日をパスワードに設定しているなら今すぐ変更すべきだ。怪しげなフリーソフトは絶対にダウンロードしてはいけないし、ファーウェイの携帯は捨てたほうがいいだろう。サイバー犯罪から身を守るという実益も兼ねて、ぜひ日本を守る戦いに加勢してほしい。

サイバーセキュリティと同時にやるべきは認知領域での戦いへの加勢だ。そのためには何をすべきか？　ここで先ほど引用した『民間防衛』の一節を再掲する。

教科書は、勝利を得たイデオロギーに適応するようにつくられる。多くの国家機関は、あらゆる方法で青少年が新体制に参加するようそそのかすことに努める。

彼らを、家庭や、教会や、民族的伝統から、できるだけ早く引き離す必要があるのだ。彼ら青少年を新体制にとって役立つようにするために、また、彼らが新しい時代に熱狂するようにするために、彼らを洗脳する必要があるのだ。

（前掲：『民間防衛』P２８９）

要はここに書いてあることの反対の事をすればいい。それが相手の一番嫌がることだからだ。認知領域の戦いにはハッキリした勝敗がつきにくい。だから、相手が嫌がることをしつこくやり続けることが大事なのだ。

まずは、教科書を日本人の歴史として書き換える。それは戦時統制を礼賛する内容でもなければ、特攻作戦を美化してそれを計画立案した者の責任を曖昧にするものでもない。我々日本人がなぜ対米開戦を決断したのか、開戦前の認知領域における戦いになぜ敗北したのかを明らかにしなければならない。ちなみに、私が『経済で読み解く日本史』シリーズを執筆した理由はまさにこれだ。日本人として、あの戦争に至った道を知るために、経済という物差しを使って室町時代から説き起こしたので、未読の人はぜひ読んでほしい。全6巻あるが、近代史は第4巻からなので、そこから後半3冊を読むだけでもいいと思う。

次にやるべきことは公務員試験から東大憲法学を一掃することだ。前川喜平氏のような元高級官僚が左翼的な思想を持つ理由が公務員試験にあると思う。そのためには憲法解釈を本文中で紹介した篠田説にしてしまうことだ。いくら東大憲法学でも政府の憲法解釈が変われば抵抗を続けるのは難しい。結局長いものに巻かれ、政治的に動いてきたのがこれまでの東大憲法学だし、たぶんその本質は変わらないだろう。

篠田説によって、正しい憲法解釈の理論的な裏付けは整った。あとは東大憲法学に毒された憲法学者との政治的な闘争が残るのみだ。篠田教授は自民党の勉強会にもたびたび登壇しているそうだ。多くの国家機関は、あらゆる方法で青少年が篠田説に学べるように努めればいい。この点については我々個人もSNSや動画などで発信することが可能である。

次に、「彼ら（青少年）を、家庭や、教会や、民族的伝統から、できるだけ早く引き離す必要がある」という部分をそのまま裏返そう。青少年を家庭や神社仏閣、民族的伝統（お盆、正月、ひな祭り、端午の節句、七五三、伝統的なお祭りなど）にできるだけ触れさせるようにしなければならない。これは青少年のみならず我々大人も意識をしてそうするべきだ。神社の鳥居の前で一礼をするだけで、見えない侵略者は後退を余儀なくされる。お守りを買ったり、厄除け祈禱したりすれば侵略者はさらに二歩、三歩と後退せざるを得なくなるだろう。

そして何度でも言う。何よりも大事なことは経済失政を繰り返さないことである。青少年が新しい時代に熱狂するのは構わないが、その時代は何となく明るい国の未来であってほしい。将来の見通しが立たなくなると、その暗い未来を一掃するために無謀な賭けに出ようとするのが人情だ。「経済的に困窮した人々は救済を求めて過激思想に走る」という歴史法則から人は逃れられない。そして、乗っ取り戦争の起承転結は常に経済失政という敵失を起点として始まることを忘れてはならない。そういう意味で、原理主義的な緊縮思想は百害あって一利なし。こういう言説は早めにその芽を摘み取っておかねばならない。

さて、見えない侵略から日本を守る『れいわ民間防衛』について、ご理解いただけたであろうか？　社会が複雑化し、戦争も複雑化した。我々は常に知識をアップデートし、見えない領域で迫りくる戦争の脅威に対抗していかなければならない。我々の好むと好まざるとにかかわらず相手は攻めてくる。いや、攻めてきている。私の耳元では軍靴の音どころか、大砲の爆音がいつでも鳴り響いている。本書を最後まで読み切った人は、この爆音が聞こえるようになったことだろう。最後に昭和天皇の終戦の詔勅の一部を抜粋して結びに代えさせていただこうと思う。

朕は今、国としての日本を護持することができ、忠良な汝ら国民のひたすらなる誠意に信拠し、常に汝ら国民と共にいる。もし感情の激するままみだりに事を起こし、あるいは同胞を陥れて互いに時局を乱し、ために大道を踏み誤り、世界に対し信義を失うことは、朕が最も戒めるところである。よろしく国を挙げて一家となり皆で子孫をつなぎ、固く神州日本の不滅を信じ、担う使命は重く進む道程の遠いことを覚悟し、総力を将来の建設に傾け、道義を大切に志操堅固にして、日本の光栄なる真髄を発揚し、世界の進歩発展に後れぬよう心に期すべし。汝ら国民よ、朕が真意をよく汲み全身全霊で受け止めよ。

出典：別冊正論24号『終戦の詔書（昭和天皇）』口語訳より
(https://ironna.jp/article/1855)

〈参考文献〉

『民間防衛―あらゆる危険から身をまもる』(原書房)スイス政府編
『ヴェノナ 解読されたソ連の暗号とスパイ活動』(扶桑社)ジョン・アール・ヘインズ、ハーヴェイ・クレア
『大東亜戦争とスターリン －戦争と共産主義－』(呉PASS出版)三田村武夫
『日本は誰と戦ったのか - コミンテルンの秘密工作を追及するアメリカ【新書版】』(ワニブックスPLUS新書)江崎道朗
『コミンテルンの謀略と日本の敗戦』(PHP新書)江崎道朗
『日本占領と「敗戦革命」の危機』(PHP新書)江崎道朗
『ミトロヒン文書 KGB(ソ連)・工作の近現代史』(ワニブックス)山内智恵子、江崎道朗
『天皇家 百五十年の戦い[1868-2019]』(ビジネス社)江崎道朗
『目に見えぬ侵略 中国のオーストラリア支配計画』(飛鳥新社)クライブ・ハミルトン
『ほんとうの憲法――戦後日本憲法学批判』(ちくま新書)篠田英朗
『憲法学の病』(新潮新書)篠田英朗
『はじめての憲法』(ちくまプリマー新書)篠田英朗
『米中戦争　そのとき日本は』(講談社現代新書)渡部悦和
『現代戦争論―超「超限戦」- これが21世紀の戦いだ -』(ワニブックスPLUS新書)渡部悦和、佐々木孝博
『超限戦 21世紀の「新しい戦争」』(角川新書)喬良、王湘穂 他
『【図解】図25枚で世界基準の安保論がスッキリわかる本』(すばる舎)高橋洋一
『テロール教授の怪しい授業(1)(2)』(モーニングコミックス)カルロ・ゼン、石田点
『2020-2030 アメリカ大分断:危機の地政学』(早川書房)ジョージ・フリードマン
『歴史の教訓 ―「失敗の本質」と国家戦略』(新潮新書)兼原信克
『経済学者たちの日米開戦 ―秋丸機関「幻の報告書」の謎を解く―』(新潮選書)牧野邦昭
『ウェストファリア体制 天才グロティウスに学ぶ「人殺し」と平和の法』(PHP新書)倉山満

上念司（じょうねん　つかさ）
1969年、東京都生まれ。中央大学法学部法律学科卒業。在学中は創立1901年の弁論部・辞達学会に所属。日本長期信用銀行、臨海セミナーを経て独立。2007年、経済評論家・勝間和代と株式会社「監査と分析」を設立。取締役・共同事業パートナーに就任（現在は代表取締役）。2010年、米国イェール大学経済学部の浜田宏一教授に師事し、薫陶を受ける。金融、財政、外交、防衛問題に精通し、積極的な評論、著述活動を展開している。著書に『経済で読み解く日本史シリーズ』『日本を亡ぼす岩盤規制』（飛鳥新社）他多数。

れいわ民間防衛　見えない侵略から日本を守る

2021年2月5日　第1刷発行

著者　上念 司
発行者　大山邦興
発行所　株式会社　飛鳥新社
〒101-0003
東京都千代田区一ツ橋2－4－3　光文恒産ビル
電話　03-3263-7770(営業)
03-3263-7773(編集)
http://www.asukashinsha.co.jp

装幀　吉田考宏
イラスト　青木宣人
制作協力　黒幕
印刷・製本　中央精版印刷株式会社

ISBN 978-4-86410-811-9

編集担当　池上直哉